Alles wat je ziet

Van dezelfde auteur

De lijst van al mijn wensen

Grégoire Delacourt

Alles wat je ziet

A.W. Bruna Uitgevers

Oorspronkelijke titel
La première chose qu'on regarde

Vertaling
Marga Blankestijn
Omslagbeeld
© Shutterstock
Omslagontwerp
b'IJ Barbara

ISBN 978 90 229 6036 3
NUR 302

Dit boek is gedrukt op papier dat het keurmerk van de Forest Stewardship Council (FSC®) mag dragen. Bij dit papier is het zeker dat de productie niet tot bosvernietiging heeft geleid. Een flink deel van de grondstof is afkomstig uit bossen en plantages die worden beheerd volgens de regels van FSC. Van het andere deel van de grondstof is vastgesteld dat hiervoor geen houtkap in de laatste resten waardevol bos heeft plaatsgevonden. Daarom mag dit papier het FSC Mixed Sources label dragen. Voor dit boek is het FSC-gecertificeerde Munkenprint gebruikt. Dit papier is 100% chloor- en zwavelvrij gebleekt en wordt geleverd door Arctic Paper Munkedals AB, Zweden.

Voor Faustine, Blanche, Grâce en Maximilien

Can you see the real me preacher?
Can you see the real me doctor?
Can you see the real me mother?
Can you see the real me?

Quadrophenia,
Pete Townshend, The Who

Arthur Dreyfuss hield van grote borsten.

Hij had zich zelfs weleens afgevraagd of hij grote of kleine borsten zou hebben gehad als hij toevallig een meisje was geweest, omdat die van zijn moeder klein waren en die van zijn grootmoeder zwaar, in elk geval in zijn herinnering aan verstikkende omhelzingen.

In zijn ogen dwong een aanzienlijke boezem tot een fraaier gewelfde rug en een vrouwelijkere gang, en het was de gratie van die gestaltes in sierlijk evenwicht die hem bekoorde, soms zelfs overweldigde. Ava Gardner in *The Barefoot Contessa*, Jessica Rabbit in *Who Framed Roger Rabbit*. En vele anderen. Die beelden bekeek hij verzaligd en blozend. De boezem maakte indruk, maande plotseling tot stilte, dwong respect af. Er was geen man op deze aarde die dan niet opnieuw een kleine jongen werd.

Ze zouden er allemaal wel voor willen sterven.

Van dergelijke rondingen had Arthur Dreyfuss, die ze nog nooit werkelijk onder handen had gehad, vele versies bestudeerd in oude afleveringen van *De Moderne Man*, gevonden bij PP. En op internet.

In het echt waren er die van mevrouw Rigautmalolepszy geweest, waar hij een glimp van opving als ze uit haar lentebloesjes puilden: twee flamboyante watermeloenen, maar dan zo licht dat er bleekgroene, koortsige, kloppende beekjes tevoorschijn kwamen; ineens tumultueus als ze haar tred versnelde om de bus te halen die tweemaal daags stopte bij de halte Grande Rue (een korte straat waar op 1 september 1944 een Schot was gevallen, een zekere Haywood, bij de bevrijding van de gemeente), of als haar valse, roodbruine keffertje haar opgewonden meesleurde naar een of ander uitwerpsel.

In de derde klas verkoos de jonge Arthur Dreyfuss vanwege zijn sympathie voor die vleselijke vruchten de nabijheid van een zekere Nadège Lepetit, die, hoewel ze niet mooi was, het voordeel had van een weelderige 85C, boven de zeer aantrekkelijke Joëlle Ringuet, die het met een platte 80A moest doen. Dat was een verkeerde keus. De lelijkerd beschermde haar halve meloenen jaloers en weigerde ze door grijpgrage gulzigaards te laten benaderen: met haar dertien jaar wilde de weelderige boerendochter, zich bewust van haar troeven, ervan overtuigd worden dat ze bemind werd om zichzelf, en op diezelfde leeftijd had Arthur Dreyfuss te weinig verstand van rijmende en dichtende minnewoorden. Hij had Rimbaud niet gelezen en de honingzoete teksten van Cabrel niet werkelijk onthouden, noch de – wat oudere – woorden van een zekere C. Jérôme (bijvoorbeeld: *Non, non, ne m'abandonne pas/Non, non, mais donne-toi* – Nee, nee, verlaat me niet/Nee, nee, maar geef je aan mij.)

Toen hij hoorde dat Alain Roger, zijn vriend in die tijd, de bescheiden perzikjes van de mooie Joëlle Ringuet in zijn vingers had gehad, en toen aan zijn lippen, en toen helemaal in zijn mond, dacht hij dat hij gek werd en vroeg zich af of hij zijn positie wat boezems betreft niet moest herzien. *À la baisse*, dus.

Op zijn zeventiende reisde hij naar Albert (de derde grootste stad van de Somme) met de onstuimige Alain Roger, om er zijn eerste salaris te verbrassen. Hij koos een tippelaarster met een ruim bedeelde voorplecht om er zijn maagdelijkheid te verliezen en een duizelingwekkend hoogtepunt te kennen, maar hij was zo ongeduldig dat hij vrijwel onmiddellijk de stof van zijn pantalon bezoedelde. Hij sloeg op de vlucht, geruïneerd, beschaamd, zonder zelfs maar de gelegenheid te hebben gehad om, zoals hij zichzelf duizenden keren had beloofd, die melkwitte schatten te strelen, te betasten, te kussen, te pletten. En dan te sterven.

Deze tegenslag bedaarde zijn hartstocht en zette hem met beide benen op de grond. Hij las twee sentimentele romans van de Amerikaanse Karen Dennis, waarin hij ontdekte dat de lust van de ander vaak afhangt van een glimlach, een geur of zelfs een simpele blik, zoals hij zes maanden later meemaakte bij Dédé la Frite, de bar-tabak-visartikelen-lotto-krantenhandel van het dorp – het was vooral de bar waar de vissers belangstelling voor hadden: het rode uithangbord van Jupiler was hun stralende morgenster in de eindeloze en ijzige winterse dageraad en trok rokers aan, omdat de wet van 2006 hier geen wet was.

Bij Dédé la Frite gebeurde er iets heel eenvoudigs: toen hem naar zijn bestelling werd gevraagd, sloeg Arthur Dreyfuss zijn ogen op naar de ogen van de nieuwe serveerster. Hij vond ze aangrijpend, grijs als de regen; hij viel als een blok voor de toon van haar stem, haar glimlach, haar roze tandvlees, haar witte tanden, haar parfum; al die schoonheden die Karen Dennis beschreef. Hij vergat naar haar boezem te kijken, en voor het eerst kon het hem niet schelen of die discreet of aanlokkelijk was. Trieste vlakte of weelderige heuvels.

Daar kreeg hij een openbaring. In het leven waren het niet alleen de borsten die de gratie van een vrouw vormden.

Dat was de eerste keer dat hij verliefd werd. En de eerste keer dat hij een premature ventriculaire contractie beleefde – een soort hartritmestoornis.

Maar er gebeurde niets met bovengenoemde nieuwe serveerster, omdat het geen zin had om een liefdesaffaire aan het einde te beginnen en vooral omdat de serveerster met de regenogen een vriend had: een vrachtwagenchauffeur die op België en Nederland reed, een gespierde, sterke vent met kleine, vernietigende handen, een gedrongen type met serieuze spierballen waarvan er één getatoeëerd was met de voornaam van de aanbedene, Eloïse; een eigenaar, een bezitter. Arthur Dreyfuss kende geen karate of andere chinoiserieën dan de geboden van de blinde meester uit *Kung Fu* (de onvergetelijke meester Po) en de wilde kreet van Pierre Richard in *Le Retour du Grand Blond* (Yves Robert). Hij gaf er dus de voorkeur aan om het poëtische gezicht van Eloïse te vergeten, het vochtige grijs van haar ogen, het roze van haar tandvlees... Hij ging 's ochtends geen koffie meer drinken en stopte zelfs met roken om niet het gevaar te lopen de jaloerse vrachtwagenchauffeur tegen te komen.

Om dit eerste hoofdstuk even samen te vatten: vanwege een breedgeschouderde en argwanende vrachtwagenchauffeur, een leven in de kleine gemeente Long, 687 inwoners, Longiniens genoemd, gesitueerd in de Somme (met zijn achttiende-eeuwse kasteel, de klokketoren – *sic* – , de sint-jansvuren, het orgel van Cavaillé-Coll en de moerasgronden die ecologisch onderhouden werden met behulp van een aantal uit de Camargue geïmporteerde paarden), vanwege zijn vak van automonteur waar je vette, zwarte vingers van kreeg, woonde Arthur Dreyfuss, twintig jaar oud, ook al was hij een knappe vent – Eloïse had hem vergeleken met Ryan Gosling, *maar dan leuker* – alleen, in een klein afgelegen huisje, aan de rand van het dorp, aan de departementale weg nummer 32 die naar Ailly-le-Haut-Clocher leidt.

Voor wie Ryan Gosling niet kent, hij is een Canadese acteur, geboren op 12 november 1980, wiens wereldwijde succes in 2011 losbarstte, een jaar na dit verhaal, met de fantastische en zeer zwarte film *Drive* van Nicolas Winding Refn.

Maar dat doet er niet toe.

Op de dag waarop dit boek begint, werd er aan zijn deur geklopt.

Arthur Dreyfuss zat naar een aflevering van *The Soprano's* te kijken (seizoen 3, aflevering 7: 'Oom Junior laat zich aan maagkanker opereren'). Hij schrok op. Riep: wie is daar? Er werd opnieuw geklopt. Dus ging hij opendoen. En geloofde zijn ogen niet.

Voor hem stond Scarlett Johansson.

Behalve een slemppartij ter gelegenheid van het derde huwelijk van Pascal Payen, PP genoemd, zijn baas – een dronkenschap die hem overigens zo afstompte dat hij twee dagen lang alleen maar orangeglo naar binnen kreeg – dronk Arthur Dreyfuss niet. Misschien een enkele Kronenbourg, 's avonds, als hij naar een serie keek.

Het hallucinante visioen van Scarlett Johansson op zijn drempel kon dus niet te wijten zijn aan de kwalijke gevolgen van alcoholmisbruik.

Nee.

Tot nog toe had Arthur Dreyfuss een normaal leven geleid. Om op te schieten en voordat we terugkomen op de verleidelijke actrice: geboren in 1990 (het jaar van het verschijnen van het boek *Jurassic Park* en van het bizarre tweede liefdeshuwelijk van Tom Cruise met Nicole Kidman) in de kraamkliniek Camille-Desmoulins in Amiens, prefectuur van de regio Picardië en hoofdstad van het kanton; zoon van Dreyfuss Louis-Ferdinand en Lecardonnel Thérèse, Marie, Françoise.

Enig kind tot 1994, toen Dreyfuss, Noiya arriveerde. Noiya, dat *Schoonheid van God* betekent.

En opnieuw enig kind in 1996 als Inke, de robuuste dobermann van een buurman, de *Schoonheid van God* verwart met de roep van zijn voederbak. Het verslonden gezichtje en de rechterhand van de peuter komen er aan de andere kant uit in de keutels van de *canis lupus familiaris*, achtergelaten in de lauwe schaduw van het wiel van een Grand Scenic. De gemeenschap leeft mee met het geschokte gezin. Het kind Arthur Dreyfuss huilt niet omdat zijn tranen die van zijn moeder doen stromen, haar gruwelijkheden laten uitspreken over de wereld, de zogenaamde schoonheid van alles en de afgrijselijke wreedheid van God. Het nu weer enig kind houdt zijn verdriet binnen, als knikkers onder in een broekzak; kleine scherfjes glas.

Iedereen heeft medelijden met hem, mensen vegen hun handen af in zijn haar, fluisteren *arm kind* of *arme jongen* of *het is toch wat voor zo'n kleintje*. Het is zowel een verdrietige als een vrolijke tijd. Bij Dreyfuss worden veel dadelhapjes gegeten, baklava's en baba ganoush en, om de picardische kant recht te doen, hartige taarten met maroilles-kaas, *charlottes* met koffie en cichorei; suiker maakt dik en doet verdriet smelten.

Het geamputeerde gezin verhuist en gaat wonen in de kleine gemeente Saint-Saëns (Seine-Maritime), aan de zoom van het woud van Eawy – uitgesproken als *e-a-vi* – waar Dreyfuss Louis Ferdinand staatsboswachter wordt. Soms komt hij 's avonds thuis met fazanten, rode patrijzen en ander wild, waar de picardische echtgenote patés, filets en ragouts van maakt. Eén keer brengt hij een dode vos mee om er een bontmof van te maken, maar Lecardonnel Thérèse verbleekt en gilt dat ze haar handen nooit, maar dan ook nooit of te nimmer meer in een kadaver zal steken.

Op een ochtend vertrekt de stroper, zoals elke ochtend, met zijn weitas en wat vallen over zijn schouders. Op de drempel roept hij, zoals elke ochtend: *Tot vanavond!* Maar die avond ziet niemand hem, net zo min als enige andere avond trouwens. De gewaarschuwde gendarmes staken het zoeken na een dag of tien; weet u zeker dat hij geen kennis had aan iemand uit de stad, een jong ding? Daar gaan mannen wel vaker om weg: jeuk aan de worst, zin in wat lekkers, lust om te voelen dat ze leven, dat komt voor. Geen spoor, geen afdruk, geen lijk. Daarna verliest Lecardonnel Thérèse al snel het kleine beetje levensvreugde dat haar restte en gaat elke avond gulzig aan de martini, rond de tijd waarop de boswachter altijd thuiskwam en dan steeds eerder, tot ze al begint op het uiterst vroege ochtenduur waarop hij altijd vertrok. De vermout (18%) maakt haar eerst heel helder van geest (waar Arthur Dreyfuss een zekere zwijgende nostalgie uit put) en bezorgt haar dan geleidelijk een angstaanjagend melancholie die haar, net als in *Het open raam*, bij nacht en ontij het spook van de boswachter doet ontwaren. En nog meer spookverschijningen.

Een vleesetende viervoeter.

Een Amerikaanse actrice die Cleopatra speelde.

Vlezige onderarmen.

Oogleden van pluisstof.

Soms huilt Arthur Dreyfuss 's avonds op zijn slaapkamertje als hij de trieste, rauwe stem van Edith Piaf in de keuken hoort en het verdriet van zijn moeder vermoedt. Hij durft haar niet te vertellen dat hij bang is om haar ook te verliezen, om alleen achter te blijven. Hij weet niet hoe hij haar moet vertellen dat hij van haar houdt; dat is zo moeilijk.

Op school valt Arthur Dreyfuss in de middenmoot. Hij is een goede schoolkameraad. Onverslaanbaar met bikkelen, dat even in de mode is. De meisjes vinden hem leuk, hij wordt als tweede knapste jongen van de klas gekozen; de winnaar is een lange, droefgeestige jongen, een gothic, met een doorschijnende huid, verscheidene gaatjes in zijn oren, als een stippellijn om langs te knippen, en rond zijn nek een getatoeëerde halsband (in de vorm van een gedraaid koord, aangebracht na een met veel alcohol overgoten lezing van *De ballade der gehangenen*) en bovenal een dichter: schijterig rijm, stroperige klanken, stomme woorden. Voorbeeld: *Leven om te rotten, sterven is voor de zotten*. De meisjes zijn er gek op.

Het enige opvallend zwakke punt van Arthur Dreyfuss is de gymles: op een dag, wanneer hij toekijkt hoe een zekere Liane Le Goff, 80E (een verbijsterende cup, Jayne Mansfield, Christina Hendricks) op het voltigeerpaard springt, valt hij flauw.

Zijn *pars orbitaris* knalt tegen de metalen poot van het paard, de huid scheurt open, er drupt een traantje bloed. Hij wordt netjes gehecht en draagt sindsdien onder zijn wenkbrauw een discreet aandenken aan die verrukkelijke duizeling.

Hij heeft geen hekel aan lezen, integendeel zelfs, hij kijkt graag films – vooral series, omdat je tijd hebt om je eraan te hechten, om van de personages te gaan houden, als van een kleine familie – en hij demonteert (en monteert) ook graag alles wat een motor of een mechaniek heeft. Daarom krijgt hij handleidingen van motoren en mechanieken te lezen. De school vond een stageplaats voor hem bij Pascal Payen, PP genoemd, garagist voor alle merken in Long, waar hij op een dag een dichtbundel ontdekt en een boeiend vak waar je vingers vet en zwart van worden; waar de dames die hij depanneert zeggen: 'Schat, je bent een genie, en nog een knappe jongen ook', en de heren die hij depanneert: 'Sneller jongen, ik heb nog meer te doen', een vak dat hem al vrij snel genoeg oplevert om met een hypotheek een huisje te kopen (drie woonlagen, zevenenzestig vierkante meter) aan de rand van het dorp, aan de D32 die naar Ailly-le-Haut-Clocher voert en waar, op winderige dagen, bakker Leguiff de hele omgeving laat geuren naar warme croissants en brioches met bruine basterdsuiker

– maar op die tragische ochtend zou er geen zuchtje wind staan – een klein huisje waar op een dag Scarlett Johansson aan de deur klopte.

Daar is ze weer; eindelijk.

Scarlett Johansson leek uitgeput.

Haar haar, tussen twee kleuren in, zat in de war. Het ontrolde zich, viel vloeiend en zwaar omlaag, als in slow motion. Haar wellustige mond was niet voorzien van de beroemde gloss. Haar mascara was onder haar ogen uitgelopen in vegen houtskool en tekende er mistroostige wallen. En tot verdriet van Arthur Dreyfuss droeg ze een wijde trui. Een trui als een zak, een onrecht: hij onthulde niets van de vormen van de actrice waarvan iedereen weet hoe bekoorlijk ze zijn, betoverend zelfs.

Aan haar arm bungelde een Vuitton-tas in zuurstokkleurtjes die eruitzag als namaak.

Wat Arthur Dreyfuss betreft, die droeg zijn favoriete televisieserie-outfit: een wit onderhemd en een smurfenonderbroek met pijpjes; verre van Ryan Gosling *maar dan leuker*. Hoewel.

Maar zodra ze elkaar aankeken, glimlachten ze.

Vonden ze elkaar mooi? Geruststellend? Verwachtte hij toen er werd aangeklopt een noodgeval, een doorgesleten koppakking, een kapotte drijfstang, een probleem met een debietmeter? Verwachtte zij toen de deur openging een viezerik, een wrattenkop, een oud besje? Hoe dan ook, die twee, een onwaarschijnlijk duo, glimlachten elkaar toe, alsof ze een leuke verrassing beleefden, en uit de droge mond van Arthur Dreyfuss, die hier voor de tweede keer op het eerste gezicht verliefd werd (klamme handen, hartkloppingen, zweetdruppels, ijzige scalpelprikjes langs zijn rug, rasperige, plakkerige tong), uit zijn mond vloog een onbekend woord.

Comine.

(Ten behoeve van taalkundig veeleisende lezers en andere amateurgeografen moeten wij hier preciseren dat er inderdaad een stadje bestaat met de naam Comines, gelegen in het kanton Quesnoy-sur-Deûle, in Noord-Frankrijk, bij de Belgische grens – waarschijnlijk een nogal slaperig stadje, het telt niet minder dan vijf feestcommissies om te proberen het wakker te schudden – maar dat heeft niets met dit verhaal te maken.)

Instinctief scheen het Arthur Dreyfuss toe dat zijn verlegen *comine*, op het moment dat hij Scarlett Johansson op de drempel van zijn deur ontdekte, het verstandigste, het meest beleefde, het mooiste was om te zeggen omdat het, volgens de ondertiteling die erbij stond in de series die hij in hun originele versie bekeek, 'kom binnen' betekende.

En welke man ter wereld, ook al droeg hij een onderhemd en een smurfenboxer, zou geen 'kom binnen' hebben gezegd tegen de fenomenale actrice uit *Lost in Translation*?

De fenomenale actrice fluisterde *Thank you*, stak het roze puntje van haar tong tussen haar lippen uit bij de *th*, en kwam binnen.

Terwijl hij zachtjes de deur sloot, met zijn klamme handen, zijn hart ineens bevangen van een nieuwe ventriculaire contractie – ja, hij ging sterven, ja, hij kón nu sterven – keek hij tersluiks naar buiten om te zien of er camera's stonden en/of *boddigards* en/of het om een rotstreek van de televisie ging, en vergrendelde toen de deur, al was hij er niet gerust op.

Twee jaar eerder had de gendarmerie het wrak van een Peugeot 406 bij PP laten neerzetten, een wagen die vijf keer over de kop was geslagen op de D112, ter hoogte van Cocquerel (op 2,42 kilometer van Long in vogelvlucht), voor een schaderapport.

Het was midden in de nacht.

De bestuurder had hard gereden, was kennelijk de controle over het stuur verloren, bedrogen door de verraderlijke vochtigheid, die als een doorzichtige, sijpelende laag algen op het hobbelige asfalt lag van de departementale weg langs de vennen, Les Etangs de Provisions. De twee inzittenden van de auto waren op slag dood. De brandweer moest de benen van de man afsnijden om hem achter het stuur vandaan te krijgen. Van de passagiere was het gezicht tegen de voorruit gedrukt, en in de ster in het glas zaten een blonde lok haar en een bloedvlek gevangen. Op verzoek van PP had Arthur Dreyfuss het wrak van binnen doorzocht, en onder de passagiersstoel had hij een dichtbundel gevonden. Hij had het meteen, als in een reflex, in een van de diepe zakken van zijn overal geschoven. Wat deed een dichtbundel in een auto waarin zojuist twee mensen waren omgekomen? Was ze hem een gedicht aan het voorlezen toen de auto op hol sloeg? Wie waren ze? Gingen ze bij elkaar weg? Vonden ze elkaar terug? Hadden ze besloten er samen een eind aan te maken?

Diezelfde avond, alleen in zijn huisje, had hij het boek opengeslagen. Zijn vingers hadden licht gebeefd. De titel van de bundel was *Bestaan*, en de schrijver was een zekere Jean Follain. Veel wit op elke bladzijde, met in het midden korte regels, kleine voren gegraven door de ploegschaar van de letters. Hij las er eenvoudige woorden die diepzinnige dingen leken te beschrijven, zoals deze, die hem aan zijn vader deden denken:

[...] en onder zijn al sterke arm
Zonder een blik voor de bomen
Klemde hij verwoed
De vormen van de hele wereld. [1]

En andere die over Noiya en zijn moeder gingen:

[...] en hier is zij die jong zal sterven
En zij van wie alleen het lichaam overblijft [2]

Er stond geen woord in dat hij niet begreep, maar hun rangschikking verwonderde hem ten zeerste. Hij kreeg het verwarde gevoel dat de woorden die hij kende, op een bepaalde manier aan elkaar geregen, in staat waren om de gewaarwording van de wereld te veranderen. De alledaagse genade te erkennen, bijvoorbeeld. De eenvoud te verheffen.

In de loop der bladzijden, in de loop der maanden ontdekte hij nog meer wonderbaarlijke woordmontages en bedacht dat het geschenken waren om het uitzonderlijke hanteerbaar te maken, als dat op een dag ooit aan je deur klopte.

Zoals die woensdag 15 september 2010 om zevenenveertig minuten over zes, als de verbluffende Scarlett, Amerikaanse actrice geboren op 22 november 1984, ineens voor je staat, voor Arthur Dreyfuss, Franse automonteur, Longinien en perplex, geboren in 1990.

Hoe was het mogelijk?

Waarom kwamen die woorden uit de gedichten nu niet? Waarom raken dromen verlamd als ze werkelijkheid worden? Waarom was het eerste waartoe Arthur Dreyfuss in staat was, vragen of ze Frans sprak? Want voor mij, voegde hij er langzaam blozend en in het Frans aan toe, is het Chinees, dat Engels.

Scarlett Johansson keek met een sierlijke hoofdbeweging op en antwoordde, bijna zonder accent, of misschien iets heel subtiels, iets verrukkelijks, een sierlijk klein macaronnetje van Ladurée, een accent op het punt waar dat van Romy Schneider en Jane Birkin elkaar kruisen: Ja, ik spreek Frans, net als mijn vriendin Jodie. Jodie Foster! riep Arthur Dreyfuss diep onder de indruk uit, u kent Jodie Foster! alvorens zijn schouders op te halen en te mompelen, als tegen zichzelf, natuurlijk, natuurlijk, wat ben ik toch een sukkel, want bij een dergelijke ontmoeting, heel in het begin, wint de intelligentie het zelden van de verbijstering.

Maar vrouwen hebben het talent om mannen op te vissen, hoog in hun armen te dragen, gerust te stellen over zichzelf.

Scarlett Johansson glimlachte hem toe en trok in een lauwwarme zucht haar wijde, met de hand in schelpsteek gebreide trui uit, met sierlijke gebaren, precies zoals Grace Kelly trouwens, toen die in *Rear Window* haar mousselinen nachtpon uit een piepklein handtasje haalde. Het is lekker warm bij u, prevelde de actrice. Het hart van de automonteur sloeg weer op hol. Hoewel hij heel luchtig gekleed was, had juist hij het ineens heet. Even sloot hij zijn ogen, alsof het hem duizelde, van iets lieflijks en angstaanjagends tegelijk; zijn moeder die naakt danste in de keuken. Toen hij ze weer opendeed, droeg de New Yorkse een strak parelwit, zijdeachtig topje met kanten bandjes, die haar boezem omhulde als een handschoen (hij sloeg zijn blote benen over elkaar om het begin van een erectie te bedwingen), maar ook, en dat vond de automonteur bijna schokkend aandoenlijk, een gulzig vetrolletje ter hoogte van de navel; een klein koperkleurig zwembandje, als een welgevulde donut. Het is lekker warm bij u, prevelde de actrice. Ja, jawel, stamelde Arthur Dreyfuss, die ineens het ontbreken van goede dialoogschrijvers in het echte leven betreurde; een viriele monoloog van Michel Audiard, een paar doeltreffende replieken van Henri Jeanson.

Toen keken ze elkaar weer aan: hij een beetje bleek, neigend naar scharlakenrood; zij een vervaarlijke tint roze, een volmaakte kleine Barbie. Ze kuchten tegelijkertijd en begonnen tegelijkertijd aan een zin. Na u, zei hij; nee, ga uw gang, zei zij. Hij kuchte nog even, om tijd te winnen, om zijn woorden te verzamelen en in een mooie zin te monteren, net als de dichter. Maar zijn monteursziel won. Hebt u... Hebt u autopech? vroeg hij. Scarlett Johansson lachte hardop. God wat is haar lach mooi, dacht hij, en haar witte tanden. Nee, ik heb geen pech. Omdat ik in een garage werk en ik... ik repareer mensen met pech. *I didn't know*, zei ze. Nou ja, de auto's, bedoel ik, ik repareer de auto's. Ik heb geen auto, zei zij, hier niet. Ik ben met de bus gekomen. In Los Angeles wel, daar heb ik een hybride net als iedereen, maar die krijgt nooit pech want hij heeft niet echt een motor.

Toen verzamelde de zoon van de zwijgzame vader, de vader met het verdwenen lichaam, al zijn jongemannenmoed, rechtte zijn rug en zei, met een stem die haast niet beefde: Wat komt u hier doen, Scarlett? Pardon. Ik bedoel, mevrouw.

Een kleine samenvatting.

De draagster van de titel 'mooiste boezem van Hollywood', toegekend door de Amerikaanse televisiezender Access Hollywood (voor nieuwsgierigen en liefhebbers, Salma Hayek behaalde de tweede plaats, Halle Berry de derde, Jessica Simpson de vierde en Jennifer Love Hewitt de vijfde) beleefde van 2004 tot 2006 een *love story* en beoefende tantrische seks met de acteur Josh Hartnett.

Toen ontmoette ze in 2007 Ryan Reynolds in een bioscoop in New York.

Het begin van een idylle.

Voor de eenendertigste verjaardag van haar nieuwe liefde schonk Scarlett (indertijd drieëntwintig) hem de verstandskies die hij had laten trekken, na die eerst in goud te hebben laten dopen, zodat hij hem aan een ketting kon hangen – zoveel chiquer, zoveel trendyer dan een haaientand. Mensen die denken dat een dergelijk cadeau de vertedering van een ontluikende liefde zou kunnen aantasten, zullen hun vergissing moeten erkennen: in mei 2008 verloofden de twee tortelduifjes zich, tot grote verontwaardiging van mama Scarlett, Melanie. Had de weelderige actrice niet pas nog, in januari 2008, bij alle goden gezworen dat ze niet klaar was voor het huwelijk? *'I'm not ready for the great day.'* Maakt niet uit. In september 2008 trouwde de Canadees in Vancouver met de Amerikaanse. Het echtpaar was smoorverliefd en hoewel de liefde volgens die film van Frédéric Beigbeder drie jaar duurt, was deze al veel eerder vleugellam.

Ik kon niet meer, ging Scarlett verder, terwijl Arthur Dreyfuss, nadat hij twee kopjes cichoreikoffie van Ricoré voor haar had gemaakt, zelf aan de Kronenbourg was gegaan. Ik kon niet meer, herhaalde ze. Ik had een beetje frisse lucht nodig, dus ben ik zonder mijn man hierheen gekomen voor het festival van Deauville. Maar Deauville ligt hier 180 kilometer vandaan! zei Arthur Dreyfuss ongerust. Dat weet ik wel, maar toen ik in Deauville aankwam, werd ik bang, bekende ze met een stem die ineens ernstiger klonk. Ik wilde niet weer in de spotlights komen te staan (ze sprak 'spotlights' uit alsof ze op een snoepje zoog; van haar lippen sprong een klein belletje speeksel), vooral omdat ik geen film in de competitie heb. Ik heb een bus gepakt, ik wilde naar Le Touquet, incognito, naar een klein hotelletje, dus. Dus wat? Dus ben ik hier. Maar dit is niet Le Touquet, dit is Long; hier hebben we vennen, wantsen die 's nachts boven het water dansen, dierengeluiden, vogelgekras, maar geen zee.

'*You're so cute.*'

Scarlett was op het idee gekomen om naar het 36ste Amerikaanse Filmfestival te gaan in Deauville en op het laatste moment van gedachten veranderd.

Zoals zoveel ongelukkige mensen die willen verdwijnen om gevonden te worden.

Verhalen over niet goed doorgesneden aderen, verkeerd gedoseerde medicijnen. En aan het eind, een zwakke stem, die niet begrepen wordt en zo alsnog verloren gaat.

Arthur Dreyfuss, magnifiek in zijn onderhemd en zijn smurfenboxer, trok een nieuwe Kronenbourg open, bood haar die nu aan, en stelde opnieuw zijn vraag: *Wat komt u hier doen, mevrouw Johansson?*

'Ik wil een paar dagen verdwijnen.'

Buiten was het de dag die verdween.

Die bekentenis bracht Arthur Dreyfuss van zijn stuk.

Binnen twee tellen was zijn besluit genomen. Hij ging de ongelukkige actrice helpen, beschermen, verbergen en redden. Hij zou gaan zorgen voor deze incognito reizende ster. De magnifieke wegloopster. Hij zou een held zijn, net als in de film, een van de goeie: het stevige, waterdichte type, op wiens schouder de onbereikbare schoonheden uithuilden en aan wie ze hun tragedies opbiechten en op wie ze uiteindelijk verliefd werden, na honderden omwegen.

En als dat zijn leven helemaal zou veranderen, was dat jammer.

Dus bood hij de *mooiste boezem van Hollywood* zijn bed aan; hij kroop wel op de bank.

Hij gaf haar zijn (minuscule) rondleiding door het huis. Hier beneden, de woonkamer en de keuken. Een driezitsbank Ektorp (IKEA), hij was maar veertig euro duurder dan de tweezitter, verklaarde hij; het was mooi weer dus heb ik hem buiten in elkaar gezet samen met PP, mijn baas, maar toen hij eenmaal klaar was, met de armleuningen, kon hij er niet door en toen heeft PP in een vlaag van woede de deur uit de sponning gehaald en uiteindelijk ging hij na veel geduw naar binnen, maar daardoor is de stof aan de achterkant gescheurd – gelukkig zie je het niet erg; een versleten rotanstoel, een tafel en veel rommel, vuile afwas, enzovoort. Ik had je niet verwacht vandaag, verontschuldigde hij zich lachend. Ze bloosde. Op de eerste verdieping de badkamer, lichtblauwe tegels, kleinejongensblauw, een enorm gietijzeren bad; een minivrachtboot op de betegelde zee. Dan nog de wc, het ondergoed, de sokken; hop, hop, opgeruimd staat netjes. Hier zijn twee schone handdoeken, ik heb er nog meer als u wilt; hier, een washandje dat nog nooit gebruikt is, maar uh, dat wil niet zeggen dat ik niet, ze glimlacht, aanstekelijk, begrijpend, shampoo en een nieuw stuk zeep, met amandelolie, kijk, daar staat het. Op de tweede verdieping zijn jongenskamer, een klein raam, en daarbuiten, de nacht die viel, de maan, de dreigende *pareidolia*. Aan de muren: posters van Michael Schumacher, Ayrton Senna, Denise Richards, Megan Fox naakt, Whitney Houston; een doorsnede van de V10 van een Dodge Viper en van de 6-flat van een 911.

Heb je geen foto van mij? vroeg ze een beetje ondeugend terwijl hij de lakens verschoonde. Hij bloosde.

Ze hielp hem het bed op te maken en die situatie verwarde hem even want er is geen man ter wereld die er niet van zou dromen om zijn bed juist *overhoop* te halen met Scarlett. Ik weet wat je denkt, fluisterde ze, en dat vind ik aardig, dank je wel, en hij glimlachte verlegen omdat hij niet goed wist hoe hij dat gefluister moest opvatten.

Voordat hij haar alleen liet, voordat hij naar zijn driezits-Ektorp vertrok, vroeg hij haar wat ze graag als ontbijt zou willen (een Amerikaanse koffie en een Franse croissant, *please*), en daarna wensten ze elkaar welterusten op de meest vanzelfsprekende toon ter wereld, en die onverwachte intimiteit (welterusten, *good night*) maakte hem weliswaar even gelukkig, maar ook verdrietig om alles wat hij wist te hebben gemist in zijn onordelijke jeugd.

Die troostrijke, onbaatzuchtige tederheid.

Natuurlijk sliep Arthur Dreyfuss niet erg goed. Wat wil je ook.

Je hebt het water horen lopen in de badkamer. Je hebt je het water voorgesteld in de holte van haar hand, haar hand in haar nek, aan haar hals, het water dat over haar huid stroomt; de huid die zich verstrakt, die het koud heeft. Nu ligt Scarlett Johansson twee verdiepingen boven je, in jouw bed, tussen jouw lakens, misschien wel naakt; het enige wat je van haar scheidt zijn de negenendertig treden van de trap. Er zit zelfs geen grendel op je slaapkamerdeur. Er zijn geen buren. Niemand zou haar horen roepen. Er zijn ook geen helikoptergeluiden, geen verblindende achtervolgingen, geen monsterlijke terreinwagens, zo zwart als de schaduwen in Amerikaanse films; niets wijst op een jacht op de illustere wegloopster, niets dat aan een grap doet denken. Alles is waar. Akelig waar.

Er is alleen maar stilte.

Die nachtelijke stilte, die de dorpelingen angst aanjaagt vanwege de nabijheid van de vennen, de bewegende schaduwen, de maan die de leugens van de mensen verlicht; vanwege de legendes, vanwege een verdwenen stroper, vanwege een beest misschien, zo eentje over wie Follain schreef: *Alle beesten van haar soort/leven in haar* [3].

Er is alleen maar stilte.

Er is alleen maar jouw verlangen.

Je angst. Je klamme vingers. Je onbegrip ook, dat, met een zweem van onbehagen, een onverhoedse woede tegen de onzinnigheid oproept: wat doet ze hier, dit kan toch niet, kan immers niet. Gezond verstand dringt zich op, vecht en baant zich een weg door de grofheid, de chaos: het is de televisie, dat kan niet anders, de verborgen camera van François Damiens, een schelmenstreek voor een nieuwe uitzending van Ruquier, de terugkeer van Dominique Cantien wellicht. Doffe waanzin dreigt. Dat bestaat niet, een droom, zo'n grote ster die werkelijkheid wordt, vlees en bloed. Je weet dat het onmogelijk is, Scarlett die bij je aanbelt en tegen je glimlacht en onder je lakens slaapt. Er moet een verklaring zijn. Net als voor die goochelaars die de benen van mooie vrouwen afzagen, hoofden losmaken, ontlede duiven met een brede lach opnieuw tot leven wekken.

En zo gaan de uren voorbij. En je besluit om... Maar je lafheid overwint, geen enkele man loopt graag een blauwtje. Dan mengt zich de twijfel erin (en stel dat, en stel dat ze eens geen nee zei). Uiteindelijk kruip je voorzichtig naar boven, op je tenen. Je ontwijkt de zevende, dertiende, vijftiende, tweeëntwintigste en drieëntwintigste trede want die kraken, de achtste want die piept als een muis in een val, en je wilt niet het risico lopen om voor een boef te worden aangezien. Maar ineens komt je angst tot bedaren. Je hoort haar ademhalen, een zacht, heel zacht snurken, als het spinnen van de kat die zojuist bovengenoemde muis naar binnen heeft gewerkt. Dan raak je ontroerd door haar zwakheid. Haar broosheid. En even is Scarlett Johansson, *het meisje dat in je bed ligt*, niet meer een mondiale seksbom, maar een meisje dat slaapt.

Alleen maar een meisje dat slaapt. Alleen maar dat moois.

Langzaam, slaapwandelend liep Arthur Dreyfuss de trap af, hij ontwijkt de verraderlijke treden en ploft op de bank.

Wat zou jij in mijn plaats doen, papa. Wat zou jij doen. Praat tegen me, vertel me: waar ben je? Kom je soms 's nachts naar me kijken, denk je nog aan mij.

Heb je ons verlaten of ben je de weg kwijtgeraakt?

De volgende ochtend in de garage van PP moest hij olie verversen en vloeistoffen controleren van een Clio, de zuigerringen vervangen van een 205 GTI uit 1986 (een stuk antiek) en de wieluitlijning van een Toyota Starlet nakijken. Starlet – de naam ontlokte hem een glimlach.

Een garage zoals alle andere dorpsgarages. Een grote houten deur, STATION PAYEN in cursieve, geschilderde en verweerde letters; binnen een smeerkuil, een hefbrug, tientallen lekke banden, glimmende olieblikken, vuil, vette gereedschappen, overal kleverige vingerafdrukken op de muren, op de verpakkingen van de Varta-lampen, een paar emaillen reclameborden, Veedol, Olazur, Essolube en een overbodig geworden Solexine-pomp (mengsmering). Onder een zeil, achterin, een Simca Aronde 1300 Week End uit 1956 die PP heeft gezworen op een dag te zullen restaureren, en die elke dag een beetje verder wordt aangevreten door roest.

Dezelfde roest die ook de ziel aanvreet van mensen die hun dromen niet waarmaken.

Halverwege de ochtend maakte Arthur Dreyfuss gebruik van een verificatierondje in de Starlet om incognito voor zijn huis langs te rijden en te kijken of Scarlett Johansson er nog steeds was. Of hij soms had gedroomd. Of er journalisten stonden. Een opstootje. Toen hij het verbijsterende silhouet heen en weer zag lopen achter zijn keukenraam zonder dat er iemand voor het huis stond, sloeg zijn hart op hol (deed van *Boum/Quand notre coeur fait boum/Tout avec lui dit boum*) en hij was gelukkig.

Tegen een uur of één, nadat hij een sandwich had gegeten die werd bezorgd vanuit de bar-tabak-visartikelen-lotto-krantenkiosk waar hij geen voet meer zette vanwege de regenachtige ogen van Eloïse en de doffe dreiging van de stoere vrachtwagenchauffeur, vroeg hij PP of hij de pc in het kantoortje mocht gebruiken: ik moet iets opzoeken over een compressorwiel voor een turbo.

In Google tikte hij 'Scarlett Johansson' in.

Op 6 september werkte ze in de Verenigde Staten aan opnames van reclamefoto's voor het merk Mango.

Op 8 september was ze gesignaleerd toen ze incheckte op het vliegveld van Los Angeles.

Op de veertiende was ze gezien op Roissy – bril, zwarte hoed en legging, grijze sjaal. Diezelfde dag was ze in Épernay aanwezig geweest bij de avond *Tribute to heritage*, georganiseerd door Moët et Chandon; ze droeg een jurk van Vuitton en was onder andere gefotografeerd aan de zijde van Arjun Rampal (knappe Indische acteur, ster van *Himko Timse Pyaar Hai* en *Om Shanti Om*).

En daarna niets meer.

Op de avond van de vijftiende september klopte ze aan bij Arthur Dreyfuss, maar dat vermeldde internet niet.

Vervolgens tikte hij 'Deauville, festival, film, Amerikaans' in.

Het festival was drie dagen geleden afgelopen, op twaalf september, en de voorzitster, Emmanuelle Béart, had de winnende film aangekondigd (*Mother and Child* van Rodrigo Garcia, het verhaal van een meisje, Karen, zwanger op haar veertiende) en iedereen hartelijk uitgenodigd voor volgend jaar.

Nadat hij de zoekpagina had afgesloten en voordat hij terugging naar zijn compressorwiel en andere lagerhuizen, vroeg de automonteur zich twee dingen af.

Waarom had Scarlett Johansson gelogen over Deauville?

Hoe had haar haar in één dag ruim tien centimeter kunnen groeien?

Toen hij diezelfde avond thuiskwam, was Arthur nogal nerveus, misschien omdat hij antwoord had gevonden op de twee eerdervermelde vragen. Scarlett Johansson was er nog steeds; ze had het huisje opgeruimd en waarschijnlijk televisiegekeken; een hele dag niets doen duurt lang (vooral in Long).

Ze had een pastaschotel met kaas bereid.

Comfort food, zei ze; dat eten we in de Verenigde Staten, thuis, om ons lekker te voelen, als het koud is of als we een beetje down zijn. Het is *troostrijk* eten, net als in de kindertijd. Als een warme deken, de omhelzing van iemand die er niet is.

Arthur Dreyfuss vroeg zich af of hij zijn kindertijd miste. Hij dacht natuurlijk aan zijn zusje Noiya, die niet de tijd had gehad om zijn naam goed uit te leren spreken – alleen a-tuur, a-tuur, alsof ze *natuur* zei in plaats van Arthur. Hij dacht aan zijn moeder die dansend naar Edith Piaf luisterde, aan de vermout die dan wilde golven maakte in haar glas. Hij dacht aan zijn vader die verdwenen was, weggevlogen, op een tak ergens, vast op de tak van een zoete kersenboom. Hij dacht aan zijn kindertijd die zo kort was geweest, zo leeg en verdrietig dat hij die niet echt miste; een oude amputatie; alleen soms die schaarse uurtjes op de koude, vroege ochtend, aan de vennen, de Catiche of de Dix, gehuld in het zwijgen van zijn vader, in zijn geruststellende mannengeur, als dat geamputeerde lichaamsdeel opspeelde.

Ook al begon hij te wennen aan het onwerkelijke idee dat Scarlett Johansson weggelopen was en bij hem was aangeland (hoe? waarom?), toch vond hij het uitermate verwarrend (en heel opwindend) om verwelkomd te worden door de ster met vier nominaties voor een Golden Globe, de *People's Choice Awards* 2007, twee *Chlotrudis Awards*, winnares van de titel Vrouw van het jaar 2007, toegekend door *Hasty Pudding Theatricals*, winnares van het Filmfestival van Venetië 2008, van de *Gotham Awards* 2008 enzovoort, een theedoek met champignonmotief als een schort om haar middel geknoopt, die net een pastaschotel met kaas in de oven wilde zetten.

Is er iets niet in orde? vroeg ze, met gulzige mond. Heb je geen honger? Jawel. Ja, alles is in orde, stamelde Arthur Dreyfuss. Ik heb alleen het gevoel dat ik naast mezelf sta, buiten mijn lichaam; in een ander leven bedoel ik. Vind je dat vervelend? Nee, helemaal niet. Vind je het eng? Ja, een beetje. Het is onwaarschijnlijk. Het vreemdste is dat er geen hysterische menigte buiten staat, geen journalisten, geen fans, geen gekken die je willen zien of aanraken, die vechten om met je op de foto te gaan. Dat komt omdat het hier zo'n *dood gat* is, zegt ze, bescheiden verleidelijk. Hij glimlacht. Ken jij de uitdrukking 'dood gat'? Ja. En ik weet dat het de beste plek is om te verdwijnen. Wie zou er nou op het idee komen om me hier te zoeken, Arthur? Het argument was overtuigend. Arthur ging op de armleuning van de Ektorp zitten. Ik ben hier alleen maar gekomen om alles te vergeten. Al die druk te vergeten, Ryan (Reynolds, haar man), mijn agent, Melanie, *my mom*... In haar ogen welden tranen op. Ik wilde gewoon een paar dagen normaal leven. Een paar dagen maar. Een meisje zijn zoals alle anderen, voor één keer in mijn leven. Een gewoon meisje, bijna *boring*. Zoals die meisjes die reclame maken op de afdeling *chicken* van de Walmart. Een paar dagen vergeten worden. *Mrs Nobody*. Vooral geen Scarlett Johansson meer zijn. Dat begrijp je wel. Ik wil zonder make-up de straat op kunnen, in hetzelfde T-shirt als gisteren, met een Peruviaanse muts op mijn hoofd, zonder bang te zijn dat ik op de cover van een roddelblad kom te staan met een kop als *Scarlett Johansson ten prooi aan depressie*.

Ze veegde de heldere tranen af die tot op haar kin druppelden.

Ik wilde gewoon een paar dagen rust, Arthur. *Just that*. Mezelf zijn, zonder uiterlijke schijn. Zonder illusies. Dat is toch niet te veel gevraagd, zou je denken.

Just that.

Arthur Dreyfuss, die zo weinig wist van tederheid, kwam overeind, zette een enkele stap en nam haar in zijn armen. Hij realiseerde zich op dat moment dat zij niet erg groot was, maar haar boezem wel, want ondanks de redelijke, beleefde afstand raakte die zijn borst. De actrice snikte een heel tijdje. Ze zei een paar woorden in het Engels waar Arthur Dreyfuss niets van verstond, behalve een *fed up* dat hij weleens gehoord dacht te hebben, ondertiteld als 'balen' in *24* en als 'is het spuugzat' in *The Wire*, en hij bedacht dat hij ook een beetje baalde (en het zat was) want als een erotische droom aan je voordeur krabbelt en je leven binnenwandelt, verwacht je dat die je bemint en je omhelst, je in opperste verrukking brengt, je het hoogste genot bezorgt, en niet zwaar gedeprimeerd uithuilt op je brede automonteursschouder.

Je verwacht licht en genade.

Hij monteerde in gedachten een paar woorden en glimlachte. Op een dag zou hij het durven. *Geleund op de arm van zijn dochter/de zware last van haar belaagde schoonheid /beschut in haar korset.*[4]

Ze aten de pasta en Scarlett Johansson vond haar opgewektheid terug; haar hoge jukbeenderen glommen.

Ze praatte over Woody Allen, 'de opwindendste man op aarde', met niemand anders heb ik ooit zo gelachen; over Penelope Cruz, zij is mijn zus, mijn soulmate, ik ben dol op haar; over haar zesde rol op haar dertiende (!), als Grace MacLean in *The Horse Whisperer*, ik was verliefd op Robert (Redford) en Sam (Neill) op mij; over 'de meisjes' (zo noemde ze haar borsten), die Natalie Portman haar benijdde. Ze lachte en Arthur Dreyfuss vond haar mooi als ze lachte, ook al dacht hij zonder meteen de hele lijst te kunnen opsommen dat er minstens duizend betere dingen te doen waren met Scarlett Johansson dan een pastaschotel met kaas eten: gedichten voorlezen, haar oorlelletje strelen, uit voorzorg het complete ras van alle soorten dobermanns en andere rottweilers uitroeien, babynamen bedenken, haar kleine donutje kietelen, haar lingerie laten passen, een onbewoond eiland uitzoeken om samen op te gaan wonen, haar haar doen en ondertussen een nummer van Neil Young beluisteren, macarons met viooltjessmaak eten, of met dropsmaak, noem maar op.

Ze vertelde over haar Deense grootvader, Ejner, scenarioschrijver en regisseur (*En maler og hans*), en Karsten, haar vader, de architect, en Arthur Dreyfuss moest onwillekeurig denken aan zijn eigen vader die nooit thuisgekomen was.

Ze praatte veel en ze at veel. Het leek wel alsof ze iets in te halen had, alsof ze wraak nam op het 'Hollywoodregime' (*Beverly Hills Diet* genoemd, op basis van groente en fruit) van Julie Mazel, alsof ze wraak nam op al haar inspanningen om op haar zevenentwintigste een van de meest glamoureuze vrouwen ter wereld te worden. Een blondine met meer dan zevenenzeventig miljoen hits op Google. Toch vond Arthur

Dreyfuss (die niet gewend was om op één avond meerdere Kro's te drinken) haar neus iets te groot, haar kin een beetje puntig, haar lippen iets te dik, haar huid wat glimmend, haar boezem verbijsterend. Luister je niet, Arthur? Ja, jawel, stotterde hij terwijl hij zijn vork neerlegde – ook bij Eloïse met de regenogen van Dédé la Frite waren de woorden trouwens niet zonder moeite gekomen – ik, ik, het is ongelooflijk dat je hier bent, Scarlett, het is... Het is vooral ongelooflijk voor mij, onderbrak ze hem. Dit is de eerste keer sinds lange tijd dat ik eindelijk een avond rust heb, dat ik net zoveel pasta kan eten als ik wil, zonder dat iemand tegen me zegt *be careful*, je komt snel aan Scarlett, *you know that*, en afvallen duurt lang, heel lang. Dit is de eerste keer sinds lange tijd dat ik mijn vingers kan aflikken zonder dat iemand zegt dat hoort niet Scarlett, dat is ordinair, een mond, een vinger, dat is obsceen; en dan met een jongen die *super super cute* is en me niet tot elke prijs wil bespringen, die niet naar mijn borsten staart als een stuk onbenul. Zeg je dat zo, onbenul?

Arthur Dreyfuss bloosde en voelde zich een beetje gekwetst omdat hij toch, de avond tevoren, twee verdiepingen lager, enorm veel zin had gehad om haar te bespringen en ook de hele ochtend in de garage; ja, ook al had ze een lange neus, een puntige kin en een donutrolletje en ondanks die kleine mee-eter die bij haar rechteroor verschenen was; een bloemknop, een minuscule zwarte orchidee, eerder die avond ontloken.

Toen hij de tafel afruimde bedankte ze hem en daar was hij helemaal aangedaan van. Een van de mooiste meisjes ter wereld zat in zijn keuken, incognito, en bedankte hem; bedankt voor de pasta, bedankt voor het bier, voor dit niet al te belangwekkende gesprek.

Hij durfde niet veel te zeggen, uit angst dit mooie moment te bederven.

Terwijl hij de afwas deed bekeek zij zijn keurig gerangschikte dvd's: ik hou ook veel van series, zei ze, net een familie als je die niet meer hebt, elke avond een klein weerzien; *The Soprano's*, natuurlijk, *I looooove it*, zei ze, de hele serie *24, The Wire, The Shield, Prison Break, The Matrix, La Dolce Vita* (niet die van Fellini, maar de versie van ene Mario Selieri, met Kasumi en Rita Faltoyano, geproduceerd door de altijd montere Marc Dorcel); o! liet hij zich ontvallen terwijl hij het bord liet vallen dat brak in de gootsteen, die is niet van mij, ik, ik, terugbrengen, moet ik terugbrengen, een maatje, van de garage; met handen vol schuim probeerde hij de ondeugende dvd te bemachtigen, zij liet hem geen kans; ineens waren ze net twee kinderen, speels, onschuldig, een beetje dwaas zelfs: geef terug! Nee! Nee! Geef hier! Kom maar halen! *Come, come,* en ze lachten en plotseling was alles zo simpel.

Arthur Dreyfuss had niets gezegd.

Hij wilde nog *één dag* met haar, *twee dagen, acht dagen*. Net als in het liedje van Piaf.

'Zeg eens, PP, wat zou jij doen als Angelina Jolie ineens voor je deur stond?'

Het gezicht van PP (die op Gene Hackman leek – toen hij jong was, in de tijd van *The French Connection* en *Scarecrow*) schoof, met een brede grijns erop, tevoorschijn van onder een Peugeot 605. Zou mijn vrouw thuis zijn? Arthur Dreyfuss schokschouderde. Kom op, PP, ik ben serieus. Ben je uit geweest gisteravond, Arthurtje van me, biertjes wezen drinken? Weer een schouderophalen. Waarschijnlijk zou ik haar bespringen. Jij niet? Jawel, jawel. Zeg, die Angelina Jolie speelde toch in *Tomb Raider?* Nou, die tombe zou ik best willen *beraiden, ha, ha, ha!* Beraiden, ha, die is goed! Even serieus, PP, zou je je niet afvragen waarom ze er was? Na het gezicht schoof nu ook het lichaam van PP onder de auto vandaan, in een zwierige beweging. Hij kwam overeind en zijn gezicht vol olievlekken werd ernstig. Overal is altijd een goede reden voor, jongen. Als die Angelina Jolie van jou bij mij aankwam, al is dat nog zo onmogelijk, dan zou dat een geschenk zijn want schoonheid is altijd een geschenk, vooral met zulke borsten en zo'n mond; je zou ervan in engelen en zulke flauwekul gaan geloven, want er kan maar één reden zijn waarom ze zou komen. Welke dan? vroeg Arthur Dreyfuss met bonzend hart. De liefde, m'n jongen, de liefde. Nou kan ze natuurlijk ook gewoon voor de deur staan, omdat ze in de buurt is en haar koppakking lekt – mag ik je er even aan herinneren dat je automonteur bent; dan zou ik snel haar koppakking fiksen, om haar handtekening vragen en haar misschien zelfs uitnodigen voor een kopje koffie bij Dédé, zomaar, om me eventjes te verbeelden dat ik bij haar hoor, om met haar gezien te worden, zodat ze zeggen joh, die PP, die heeft toch een lekker stuk bij zich, maar... maar is dat niet Angelina Jolie! Kijk nou, Léon, PP heeft die actrice bij zich, wat is dat een mooi wijf, en ze zou herkend worden, en de mensen zouden gek worden, en een paar tellen lang zou ik een god zijn, jazeker, een god, meneer, ik zou die vriend van Angelina Jolie zijn. De man die de hemel in zijn armen heeft gehouden.

Er welde een golf van verdriet op, die Arthur Dreyfuss een huivering bezorgde.

Hij wist heel goed waar PP het over had. Het onmogelijke. De droom. *De mythe van de hoer*, die door alle mannen ter wereld wordt begeerd en plotseling voor hém kiest, die alle anderen opgeeft: drieënhalf miljard mannen, op zijn minst.

Grace Kelly verkoos prins Rainier boven graaf Oleg Cassini, boven Jack Kennedy (de couturier), Bing Crosby, Cary Frant, Jean-Pierre Aumont, Clark Gable, Frank Sinatra, Tony Curtis, David Niven, Ricardo Boccelli, Anthony Havelock-Allan, boven zoveel anderen; ze had van de sullige Rainier een nieuw mens gemaakt, een unieke man.

Ze had een god van hem gemaakt.

En toen PP na een korte stilte een beetje schor bekende, weet je Arthur, als ik in de jaren twintig was geboren en ik de vriend van Marilyn Monroe was geworden, zou ze zich nooit hebben vergiftigd met die rotzooi, dat weet ik heel zeker. Wat zij nodig had, waren niet die voetballers, acteurs, presidenten, pretentieuze schrijvers en mensen die meer van zichzelf hielden dan van haar, nee, wat haar hartje begeerde was een simpele, eerlijke vent, een vent die van andere mensen hield, een garagehouder, een flinke kerel die haar in zijn auto mee zou hebben genomen om mooie dingen te zien, de kap zou hebben laten zakken om haar de rosse lucht van een mooie herfstdag te laten ademen, om haar de regen te laten proeven in kleine druppeltjes vol stof en wind, die haar hand vastgehouden zou hebben zonder erin te knijpen, zonder haar te beknellen vooral, zonder haar te willen neuken op de achterbank, jazeker, dat is wat ik met Marilyn zou hebben gedaan, en daarom zou ze met mij van ouderdom gestorven zijn, jawel, toen had Arthur Dreyfuss wel kunnen huilen.

Op de derde dag van zijn leven met Scarlett Johansson kwam Arthur Dreyfuss 's avonds thuis met *Vicky Cristina Barcelona* en *The Island*: de enige twee dvd's die hij had kunnen vinden bij de kapsalon van Planchard (waar je ook lege laser- en inktcartridges kon afgeven om te laten vullen), herkenbaar aan de saaie gevel van oranjekleurige baksteen, de twee kleine etalages, de aanbouw in rode steen die er zo wankel uitziet en het volkomen verschoten uithangbord met ÉDONIL – SOINS CAPILLAIRES - HAARVERZORGING. Hij bracht ook het avondeten mee: kaasbroodjes (alweer kaas!), twee mooie schotels fijne vleeswaren en een fles wijn die hij had gekocht in de Rue du 12-novembre-1918 bij Tonnelier, de slager-traiteur.

Het was een tijdloze slagerij. Een foto à la Depardon, met die strakke rode en witte gevel, de zwarte belettering in vierkante hoofdletters, zwaarwichtig als die van een röntgenkliniek, elk op een eigen witte neonkubus. Als de auto's en de wegwijzers van JC Decaux er niet waren geweest had je je in 1950 kunnen wanen. Long leek verstard in de tijd, lage huizen van baksteen of cement, puntdaken vol dakpannen, muren geschilderd in vrolijk geel, oker, of zoals deze op de hoek van de Rue Hotton en de Rue Ancienne-École-des-Filles, hemelsblauw, ongetwijfeld om het akelige melancholieke grijs boven hun hoofden te bezweren, dat grijs dat elke vlucht verhindert.

Op zijn beurt bracht ook Arthur Dreyfuss troostrijk eten

mee; een stootkussentje voor de val die hij ging veroorzaken.

Scarlett Johansson leek diep geroerd door dit kleine gebaar en waagde een vrolijk kusje op de wang van de automonteur, die er de fijne vleeswaren bijna van liet vallen, een onhandigheid die hem in de ogen van de jonge actrice nog aandoenlijker maakte; dat dacht hij tenminste.

De actrice opperde een wandelingetje door het dorp vóór het eten: 'Ik heb slaap in mijn benen,' zei ze met een bekoorlijke, bekorende glimlach. Arthur Dreyfuss aanvaardde het voorstel geestdriftig, als het onverwachte geschenk van een paar minuten extra leven voorafgaand aan een hardvochtig vonnis.

Hij wachtte tot de zon zich had verwijderd achter het ven de Provision en de Aunais, tot hij zijn geruststellende, diepe schaduwen had getekend: ideale schaduwen voor een filmster incognito.

Daar liepen ze de Longinaanse roerloosheid in, huiverden in de klamme vochtigheid van het moerasland. Het dorp is maar klein. Als je van het kasteel via de waterkrachtcentrale en de Grande Rue (waar het gemeentehuis staat, en de ouderensocieteit, en de bakker, die op donderdag 'pizza' bakt, *Vergeet uw bestelling niet!*) naar de openbare camping, *La Peupleraie*, de melkerij van veefokker Copin en de Metselwerken Gervais-Scombart loopt, heb je een dikke twintig minuten gewandeld.

Ze liepen langzaam door de eerste haardvuurgeuren, op minder dan een meter van elkaar, hij iets achter haar, en af en toe, wanneer hun schaduwen tegen een muur op elkaar stootten, stak hij zijn schaduwhand uit om haar schaduwhaar te strelen; hij huiverde net als hij bij een echte streling zou doen; hij wende zich eraan, hij oefende nieuwe gebaren van tederheid; hij had ineens willen praten, haar in de welwillende schemering de dingen willen zeggen die je 's nachts in gedachten monteert voor precies zo'n dag, wanneer je zoiets moois overkomt. Scarlett Johansson keek om zich heen; ze lachte, gewoonweg gelukkig. Maar woorden zijn laf en slaan op de vlucht, beschroomd tegenover de vervoeging van een wonderschoon lichaam, verward door de strenge grammatica van de lust; alle woorden zijn zinloos in de rauwheid van alles. Alles goed? vroeg ze. Ik, ik. Ja. Heb jij het niet koud? Ze kwamen langs het kleine kapelletje van Notre-Dame-de-Lourdes aan de rand van het dorp, aan de kant van Ailly. Hij had ineens een man willen zijn, een stoere vent, een heethoofd, geregeerd door de lust, hij had haar het oratorium willen binnen duwen, ze zou (vast wel) een kreetje hebben geslaakt en gezegd hebben ben je gek, gevraagd hebben wat doe je, en hij zou hebben gezegd ik wil je vragen om je leven met mij te delen, om een onbewoond eiland te kiezen, om macarons met viooltjessmaak te eten, en zij zou hebben gelachen en weer *you are crazy* hebben gezegd, kom mee naar huis, ik heb het een beetje koud, maar dat was lief, Arthur, dat was lief, dat was *cute*.

Misschien had ze wel ja gezegd.

Maar hij zweeg, want je zwakheden winnen altijd.

Hij zweeg omdat het onmogelijke, een meisje zoals Scarlett Johansson, niet getemd kan worden met onstuimigheid, met heftigheid; dat vergt sierlijkheid, een vorm van zelfverloochening.

'Kom mee naar huis,' zei hij, 'je hebt het een beetje koud.'

Maar hij was het die rilde, omdat hij wist hoe het verderging.

Ze gingen met hun avondeten voor de televisie zitten en keken eerst naar *The Island*. Arthur Dreyfuss hield meer van actiefilms dan van sentimentele films – zo stelde hij zich die van een ouder wordende Woody Allen voor, het ietwat suspecte sentiment van een man die zijn vrouw verliet om met hun adoptiedochter te slapen; hoe dan ook, we kijken ze allebei, had hij gezegd, en tijdens de film praatte Scarlett Johansson veel, soms zelfs met volle mond. Ze becommentarieerde elke scène: dat hebben we in de woestijn van Californië gedraaid, dat in de woestijn van Nevada, ik vind Ewan (McGregor) zo geweldig in die witte overal, echt té sexy, zo *hot*; daar, kijk, die wagen van Lincoln (het personage van Ewan McGregor in de film), dat is een Cadillac, die heeft zeven miljoen dollar gekost, moet je nagaan, zeven miljoen dollar, vanwege alle trucages! Opgewonden hapte ze in een tweede kaasbroodje: 'Deze opname was echt heel lastig. Weet je dat ik net daarvoor geopereerd was? Even voor de opnames waren mijn amandelen geknipt en elke dag belde het kantoor van Michael (Bay, de regisseur) om te vragen hoe het met me ging. Om te weten wanneer ik weer kon beginnen met trainen in de sportschool want het was een heel fysieke rol, extreem vermoeiend, iedereen was in paniek en, en, ging Arthur Dreyfuss verder, je liet je scheenbenen spalken na de achtervolgingsscènes. De actrice liet ineens haar kaasbroodje zakken; haar mond bleef openstaan, het bloed leek uit haar gezicht weg te trekken, heel even was ze bijna lelijk. En je had verschrikkelijk veel last van je knie, ik weet het. Dat heb ik gelezen op *Allociné*; net als jij, neem ik aan.

Hij haalde een stukje papier uit zijn zak dat hij traag, bijna wreed openvouwde. Toen je het script voor het eerst las, werd je gegrepen door de relatie tussen jouw personage en die van Lincoln en je verklaarde: *Ze weten niets van intimiteit en seksualiteit. Ze zijn volkomen naïef want ze hebben in een soort plastic cocon geleefd, zonder iets te weten van de buitenwereld. Het is in zekere zin een fantastisch liefdesverhaal.*

Scarlett Johansson bracht haar hand naar haar mond en spuugde er discreet het hapje van Tonneliers kaasbroodje in – maar niet discreet genoeg; haar bloedeloze lippen trilden.

'Ik heet Jeanine Foucamprez.'

JEANINE

Arthur Dreyfuss was tegelijkertijd teleurgesteld en opgelucht.

Zijn teleurstelling kwam voort uit het feit dat hij, net als PP met Angelina Jolie, heel even, een vleugelslag lang, een oneindige zucht lang, had gedroomd 'de vriend van Scarlett Johansson' te zijn – al was PP niet 'de vriend van Angelina Jolie', toen niet en nooit niet, maar hij had het een mooi beeld gevonden. Even had hij gedacht dat hij met de betoverende actrice aan zijn arm, als een engel, als een zegening, eindelijk die ene zou zijn, verkozen uit drieënhalf miljard mannen; de enige man ter wereld die Marilyn Monroe op die vijfde augustus 1962 had kunnen redden van de dood, omdat hij haar stoffige regendruppels zou hebben laten proeven terwijl hij haar hand vasthield.

En toch opgelucht, omdat hij voorvoelde dat je met een Scarlett Johansson aan je arm de vijand werd van drieënhalf miljard mannen. Omdat ze je benijdden, hadden ze een hekel aan je. Omdat ze een hekel aan je hadden, maakten ze je kapot.

En toch ook opgelucht, omdat het flamboyante gemoed van de New Yorkse weliswaar al snel lust wekte naar close-ups, naar huid van dichtbij en gedachten aan seks, maar het desalniettemin nogal lastig bleef om als jonge Sommelse automonteur, ook al werd die vergeleken met Ryan Gosling *maar dan leuker*, de *boyfriend* te worden van Scarlett Johansson (de concurrentie was wereldwijd), terwijl de *vriend* van ene Jeanine Foucamprez worden een heel stuk bereikbaarder leek.

En wat een geluk om, als het zover mocht komen, dacht hij, stiekem het idee te hebben dat je met twee vrouwen tegelijk de liefde bedrijft of in elk geval met de ene en de andere in gedachten, en dat alles ongestraft.

Maar Arthur Dreyfuss wist dat hij zover nog niet was. Twee verdiepingen en een badkamer scheidden hem 's nachts van Jeanine Foucamprez; negenendertig treden die, voorvoelde hij, een zware klim zouden worden, omdat Jeanine Foucamprez een wreed sprookje beleefde waarin je niet meer weet wie wie bedriegt in lichaam en in lust, en de prinsen in dat soort wrede sprookjes 's morgens niet de kus van de wedergeboorte geven die de vrede terugbrengt, de levenslust en de tere lieflijkheid van alles. Dat zijn ochtenden vol verdriet en eenzaamheid. Ochtenden vol pijn. Onbarmhartige ochtenden. Gewonde prinsessen hebben heel veel tijd nodig.

Alweer een verhaal over medicijnen. Doseringen. Trillende vingers.

Natuurlijk zette hij de film stop die ze aan het kijken waren. Hij was nog niet afgelopen (voor wie het interesseert, even snel het slot: Ewan McGregor vertrekt uiteindelijk met Scarlett Johansson op een boot naar... een *eiland*, ach, de liefde), maar hij zette de film stop en Jeanine Foucamprez zei heel charmant: geeft niet, ik heb hem al gezien. Toen heerste er even stilte. En een zekere gêne, ook. Ze keken elkaar aan en het leek wel alsof ze elkaar voor het eerst zagen.

Want ja, je kijkt naar Cameron Diaz, bijvoorbeeld, en dan is het Cameron Diaz niet – het kost even tijd voordat dat tot je doordringt.

Het kostte Arthur Dreyfuss zes minuten.

'Waarom ik?' vroeg hij. 'Waarom bij mij, waarom hier, waarom in Long?'

Jeanine Foucamprez haalde diep adem en begon, zonder haar wonderbaarlijke accent deze keer.

'Ik doe de Pronuptia-tournee. Als topmodel. Al drie jaar doe ik dat. Twee steden per dag. We zijn met zes meisjes. We zijn live-modellen in de etalages van Pronuptia. Als er geen winkel is, staan we in een bestelbusje met overal glas. Op de markt. Als vissen in een kom. Onze komst wordt de dag van tevoren aangekondigd in het plaatselijke sufferdje. Soms door de regionale omroep. Als we er aankomen staan er al mensen. Het is vrolijk. Een soort kermis. Carnaval. Bier. Zoals bij de voorverkiezingen voor Miss Frankrijk. Vanaf de eerste tournee vroegen mensen mij om een handtekening. Ik tekende met Jeanine. Dan zeiden ze nee, nee, teken met Scarlett. U lijkt zoveel op haar. U bent zo helemaal *precies* als zij. Alstublieft. Ik voelde me mooi. Belangrijk. Dus tekende ik met Scarlett. Met een grote S, net als Zorro met zijn grote Z. En de mensen waren blij. Ze omhelsden me. Het jaar daarop brachten ze brutaalweg haar foto mee. Het doosje van een van haar dvd's. Een klein filmaffiche. Een bladzijde uit *Première*. Een artikel uit *Elle*. De voorpagina van een televisiegids. Ineens voelde ik me niet meer zo mooi. Ik voelde me een leugenaar. Bedrogen. Een clowntje. Zes maanden geleden reden we uit Abbeville weg om naar Amiens te gaan. Maar de chauffeur moest van de snelweg af, want er was een tankwagen vol melk omgevallen. Het leek wel alsof het gesneeuwd had. Alsof de sneeuw gesmolten was. Alsof we ondergedompeld zouden worden in een meer van wit. Een van de meisjes zei dat het net een trouwjurk was, dat de luchtbellen in de melk het kant uittekenden. We stopten hier. In Long. We gingen eten bij de Brasserie Au Fil d'Eau, aan het water. Ik weet het nog goed. Vrijdag, 19 maart. Op de terugweg naar de minibus zag ik jou. Met je zwarte handen. Je vuile overall. Je deed me aan Marlon Brando denken, in een film met motoren. Je was de fiets van een huilend klein meisje aan het repareren. Je was mooi. En trots. Haar fietslamp deed het weer. En haar glimlach ook, van dat meisje. En dat deed me de das om. Die glimlach van haar.'

Arthur Dreyfuss kreeg ineens een droge mond. Ook al kende hij nog geen minnewoorden (zelfs Follain was daar heel voorzichtig mee), hij had het gevoel dat hij ze had gehoord, nu net, woorden voor hem alleen, die als kusjes uit die prachtige mond kwamen; van lippen die van de opwindende Scarlett Johansson zouden kunnen zijn, met alle aantrekkelijkheid en zachtheid die we van haar kennen en waarop we hier niet in detail hoeven terug te komen.

'Ik ben weer naar de brasserie gerend en daar vertelden ze me waar je woonde. In dat afgelegen huisje, op de weg van Long naar Ailly, net voor de snelweg.'

Hij nam een slok wijn, en nog één, een Ventoux (13,5%), fruitig, met een vleugje kweepeer en rood fruit, had Tonnelier gezegd, past perfect bij vleeswaren en kaasbroodjes.

Hij was een beetje duizelig.

Ze ging verder. 'Ik wist dat je open zou doen, als je dacht dat ik Scarlett Johansson was. Dat ik dan misschien een kans zou maken. Net als dat kleine meisje. Met haar lampje dat weer brandde. Haar dodelijke glimlach. Verdomme.'

Noch Dreyfuss Louis Ferdinand, zijn vader, noch Lecardonnel Thérèse, zijn moeder, beschikten over de tegenwoordigheid van geest om hun enige zoon te onderhouden over liefdeszaken.

De rouw om Noiya, het verslonden kleine zusje, vulde het grootste deel van de tijd die ze samen doorbrachten, vóór het ultieme 'tot vanavond' en het begin van de vermout. Lecardonnel Thérèse huilde veel, en elke dag leek ze verder uit haar ogen weg te vluchten; ze vertelde over de dingen die ze voor altijd kwijt was: de vochtige kusjes van haar kleine meisje, de rijmpjes, de tijd van de rode hond, van de mazelen; haar haren die op een dag zouden moeten worden uitgekamd, als ze eenmaal zeven was, de moederdagcadeautjes, kettingen van pasta, erbarmelijke rijmpjes; stof uitzoeken op de markt, de jurkjes die ze later zou knippen, als de boezem groeide; de eerste druppeltjes bloed, de eerste druppeltjes parfum in de holte van de elleboog, achter de knie; de eerste lippenstift en de eerste verliefde kus, de eerste teleurstellingen, daar worden vrouwen moeder van, zei ze met onhoorbare stem, haar mond vol vloeibaar verdriet; ik mis je zusje, m'n jongen, ik mis haar zo, soms lijkt het alsof ik haar hoor lachen op haar kamertje, als je vader en jij er niet zijn, dan ga ik bij haar bed zitten, zing ik liedjes voor haar die ik niet de tijd heb gehad haar te leren; jij, jij bent een jongen, voor jou heb ik niet gezongen, jou heb ik geen verhaaltjes voorgelezen, ik ben niet bang geweest om jou, want dat was de taak van je vader; hij vertelde je verhalen over schaatsenrijders die met hun lange poten op donkere waterspiegels dansen zonder er ooit in te zakken, hij was er om je vragen te beantwoorden, maar je vroeg nooit iets, wij dachten dat je nergens in geïnteresseerd was, we maakten ons zorgen over je, ach, Noiya, ach, mijn kindje, mijn kindje, ik haat alle honden van de wereld, allemaal, allemaal, zelfs Lassie (*Lassie komt thuis, De Moed van Lassie, Lassies Avontuur*, onverwoestbare Lassie).

Van tijd tot tijd nam Dreyfuss Louis-Ferdinand zijn zoon mee vissen. Het was nog stikdonker als ze vertrokken. Ze staken het drasland over naar het ven van Croupes of de rivier de Planques en vlak bij de onwelriekende vochtigheid van een schuilhut op een eilandje lapte de boswachter dan de gemeenteverordeningen aan zijn laars en viste met draaiende lepels (lokaas in de vorm van een haakje met een glimmend metalen plaatje) tot hij een paar flinke snoeken ophaalde – waarvan er eentje ooit wel eenentwintig kilo woog. Was het vanwege de illegaliteit van zijn techniek, was het omdat hij niet betrapt of gehoord wilde worden dat hij nooit iets zei? Urenlang zat Arthur Dreyfuss zwijgend naast zijn vader, alsof hij naast een vreemde zat. Dan observeerde hij hem. Hij benijdde hem zijn ruwe, forse en nauwkeurige handen. Hij bestudeerde zijn heldere, klare blik, die tot glimlachen, geheimen en geluk uitnodigde. Hij bedronk zich aan zijn geur van leer, tabak en zweet. En als de visser soms eens door zijn haar woelde, zomaar, zonder reden, dan was de kleine Arthur Dreyfuss ontzagwekkend gelukkig, en dat handjevol tellen geluk was al het zwijgen ter wereld, al het wachten en al het verdriet meer dan waard.

Op een avond in de keuken – Arthur Dreyfuss was toen

twaalf jaar oud (Noiya was zes jaar eerder verslonden) – vroeg hij zijn ouders hoe iemand verliefd werd. Zijn vader wees met zijn mes naar zijn moeder, alsof hij wilde zeggen: zij gaat je antwoord geven, maar in de verte begon een hond te blaffen dus barstte zijn moeder in tranen uit en verdween naar haar slaapkamer. Die avond hoorde Arthur Dreyfuss voor het eerst in zijn leven zijn vader zevenenzeventig woorden achter elkaar uitspreken: 'Het is de lust, m'n jongen, het is de lust die regeert. Bij je moeder was het haar kont die me toeriep (het kind keek geschokt), haar derrière als je dat liever hebt, de manier waarop ze daarmee wiegelde als ze liep, het leek wel de slinger van een klok, tik, tak, tik, tak... Dat hypnotiseerde me, dat hield me uit mijn slaap, dus heb ik haar meegenomen naar het ven van Bouvaque (Abbeville) en zo ben jij er gekomen, lieve jongen.'

'Maar hield je van haar, papa?'

'Dat is moeilijk te zeggen.'

Dat moment koos Lecardonnel Thérèse om terug te komen uit haar slaapkamer. Haar ogen waren droog. De oogbal doorstreept met rood, op het punt van barsten, als een vaas vol craquelé. In het voorbijgaan gaf ze haar man een klap in zijn gezicht, waarna zij de suikertaart uit de oven haalde en Arthur Dreyfuss het antwoord op zijn vraag had.

Mijn vader. Hij was niet mijn echte vader. Alleen maar een varken. Compleet met het vet. De pens die *fffft-fffft* deed als hij zich verplaatste. Een waggelende drilpudding. Als hij liep hoorde je altijd dat geluid van soppende schoenen. Een dreigende glijpartij. Zelfs als het niet regende. Mijn echte vader was juist heel knap. Ik heb foto's gezien. Hij was blond (de Johansson-kant van Jeanine Foucamprez, ongetwijfeld). Gespierd. Hij had een glimlach waar meisjes van moesten blozen. Dat maakte mijn moeder jaloers. Vaak. Later werd dat minder. Uiteindelijk heeft zij hem immers gekregen. Zij was heel mooi (de Scarlett-kant van Jeanine Foucamprez, ongetwijfeld). Maar ik heb mijn vader nooit gekend. Hij stierf net voor mijn geboorte. Hij is omgekomen bij een brand in een huis in Flesselles (12,3 km van Amiens, in vogelvlucht). Hij probeerde een omaatje te redden. Ze konden ze niet van elkaar loskrijgen. Het zag eruit alsof ze aan het vrijen waren. Net als in Pompeï. Hij was brandweerman.

Mijn moeder. Ze ontmoette het varken op ballet. Ze droomde ervan om balletdanseres te worden. Ook al had ze er niet echt de benen voor. De ronding. De wreef. De welving. Dat allemaal. Maar zij geloofde erin. Ze werkte hard. Op de koelkast in de keuken had ze foto's van Pietragalla en Pavlova. Nijinski en Nurejev ook. En een plaatje van Jorge Donn in *Les uns et les autres* van Lelouch. In afwachting van de dag waarop ze de *contretemps* en de *grand jeté* zou beheersen, oefende ze geduld als serveerster. Ze beet op haar nagels, tot bloedens toe. Het ballet, dat was een voorwendsel van Varkentje. Een versiertruc. Net als Hugh Grant in *About a Boy*. Een eikel die doet alsof hij een kind heeft, om moeders in bed te krijgen. Een waardeloze versiertruc. Omdat het varken een beetje een fotograaf was, maakte hij foto's. Foto's van dames voor hun portfolio. In tutu. En dan zonder tutu. Met alleen maar doorzichtige kousen. En dan zonder kousen. En dan van dichtbij. Hij was zo'n waardeloze fotograaf dat hij zelfs mijn moeder lelijk wist te maken. Toen hij bij ons kwam wonen was ik vijf. In het begin was hij cool. Hij hielp een beetje mee. Hij deed danspasjes voor mijn moeder. Tango. Chachacha. Mambo. Wij moesten erom lachen, mijn moeder en ik. Hij was belachelijk. Het enige goeie aan hem: hij kon kapotte dingen repareren. De wc. De bel. De stekkers. Dat bespaarde geld.

Hij vond mij mooi. Volgens hem was mijn huid als satijn dat je graag tussen je vingers zou willen wrijven. Mijn ogen waren alexandrieten (een edelsteen die van kleur verandert naargelang de belichting). Hij was bedroefd omdat er duizenden mensen waren die zijn emotie niet zouden delen. De vreugde die hij beleefde als hij mij bekeek. Schoonheid is zo zeldzaam, zei hij. Zo mooi. Dat wil je delen. Zo is het begonnen. Een eerste fotoserie. In de keuken. Hij wilde dat ik vanille-ijs at. Hij vond het leuk als ik de lepel in mijn mond hield. Als het ijs langs mijn kin liep. Hij zette een gezicht dat hij bij mijn moeder niet had. Het is ons geheimpje, Jeanine. Ik voelde me belangrijk. Ik voelde me mooi. Dat ging zo door. In de tuin. Hij vroeg me om een kaars te maken. Een radslag te doen. Of ik ook kon scharen met mijn benen. Op een dag kwam hij de badkamer binnen terwijl ik in bad zat. Hij zag er heel verdrietig uit. Hij vertelde me dat hij zelf een klein meisje had gehad, vroeger, en dat ze naar de hemel was gegaan. Dat ik op haar leek. Dat hij niet genoeg tijd had gehad om foto's van haar te maken, om haar nooit te vergeten. En dat hij, als ik het goed vond dat hij me fotografeerde terwijl ik me waste, nooit meer verdrietig zou zijn. Mijn moeder kwam binnen toen ik mijn geslacht aan het wassen was, op de manier zoals hij me had laten zien. Ik lachte omdat het kietelde. En hij lachte ook. Ja, ja, zo. Ze keek naar ons en trok toen de deur dicht. Zachtjes. Zonder ermee te slaan. En het varken bedankte me. Dankzij jou zal ik mijn kleine meisje nooit vergeten. Nu ga ik naar je moeder. Ik heb geen geschreeuw gehoord in de keuken. Geen servies horen breken. Alleen maar stilte. Ze heeft niets gezegd. Mijn moeder zei niets. Sindsdien heeft ze me nooit iets gevraagd. Ze wilde het niet weten. Niet zien. Ze was blind voor mij. Ze heeft me nooit meer in haar armen genomen.

Behoedzaam nam Arthur Dreyfuss Jeanine Foucamprez in zijn armen, en die volkomen onverwachte tederheid verraste hen beiden. Hij was diepbedroefd. De woede zou later komen. Hij had geen woorden voor zulke pijn, voor zulk geweld; het enige wat hij kon doen, zijn enige vocabulaire, was haar tegen zich aan te klemmen. Stevig, zoals het hoort.

Het zijn niet de jaren die ons beschaving bijbrengen, maar wat we beleven.

Buiten was het allang nacht, de maan ontsluierde de schemergebieden van de wereld, maar zij waren niet moe. Alle nieuwe ontmoetingen, of in elk geval ontmoetingen die van belang lijken, hebben dat effect: we hebben geen slaap, we zouden nooit meer willen slapen, we willen over ons leven vertellen, ons hele levensverhaal, de liedjes delen waar we van houden, de boeken die we hebben gelezen, de verloren kindertijd, de teleurstellingen en deze nieuwe hoop, ten slotte; we zouden elkaar altijd gekend willen hebben om elkaar met kennis van zaken te kunnen omhelzen en beminnen, in het volste vertrouwen, en 's ochtends wakker worden met het idee dat we altijd al samen zijn geweest, en dat altijd zullen blijven, zonder het bittere leed van de dageraad.

Het was de kleine Ventoux van Tonnelier die hun terughoudendheid, hun opwinding overwon: Jeanine Foucamprez vlijde zachtjes haar hoofd tegen de schouder van de automonteur, zoals iemand die eindelijk ergens aangekomen is een zucht slaakt, een beetje getroost, een beetje verwarmd, en ook al was de houding waarin Arthur Dreyfuss op de bank zat niet de meeste comfortabele, hij verroerde zich niet, al te ontroerd dat een meisje zo mooi als Scarlett Johansson, ineens zo bleek en gewichtloos als een zwanenveer, tegen zijn schouder kwam liggen.

De dochter van de blonde brandweerman sliep vredig in, en de zoon van de boswachter met de zevenenzeventig opeenvolgende woorden en het verdwenen lichaam begon te dromen.

Bij het aanbreken van de dag werden ze gewekt door donderklappen op de deur.

Arthur Dreyfuss ontworstelde zich met moeite aan de Ektorp vanwege de verschrikkelijke kramp die zijn linkerarm verlamde (de arm die tot op dat moment, dat wil zeggen zes uur lang, het mooie gezichtje van Jeanine Foucamprez had ondersteund – die zelf overigens glimlachend wakker werd).

Het was PP. Zijn gezicht zag grijs. Zijn mond stond dreigend. 'Wat maak jij nou, jongen, ik wacht al een uur op je, om negen uur is de Mégane van de burgemeester aan de beurt!'

Toen hij Jeanine Foucamprez ontdekte, die zich sierlijk uitrekte op de driezitsbank, keek hij eerst verbaasd, zeg maar geschokt (denk aan de bek van de wolf die zo liederlijk kwijlt wanneer de sexy *Red Hot Riding Hood* langskomt in de tekenfilm van Tex Avery): dus dat was geen flauwekul, van die actrice? floot hij. Wow, wie is dat, is dat Angelina Jolie? Is ze dat echt? Wat is ze mooi. O, Jezus. O, verdomme. O, verdomme. En voor het eerst in zijn leven voelde Arthur Dreyfuss zich mooi. Verkozen. Uitverkoren. En voor het eerst in zijn leven liet PP – drie huwelijken, twee scheidingen, eigenaar van een garage voor alle merken – zijn hart spreken: kom maar wat later als je wilt kerel, ik begrijp het, Marilyn, de regendruppels, de traagheid van alles, fijngevoeligheid; ik zorg wel voor die Mégane, zorg jij maar voor haar.

Zodra PP de deur uit was, begon Jeanine Foucamprez te glimlachen, en toen lachten ze samen; het soort gelach dat hen synoniem leek aan geluk. Limbus. Begin. Mogelijkheid. Openheid.

Na een haastig leeggedronken kommetje Ricoré, laat maar, ga hem maar helpen, ik ruim wel op, had Jeanine Foucamprez gezegd, was hij naar de garage gerend (met een plannetje in zijn achterhoofd). Naast de Mégane van de burgemeester waar het grote lichaam van PP onder uitgestrekt lag, waren er nog drie opdrachten: een tweehonderdvijftigduizendkilometerbeurt voor een vijfdehands BMW serie 3, een uitlaat voor een C1 uit 2005, een kreng van een wagen, volgens PP, ontworpen door mankepoten zonder rijbewijs, en twee kampeerauto's met een lekke band. (Jipé, de baas van camping Le Grand Pré, een van de twee campings die Long rijk was, waarvan het terrein ter hoogte van de Rue du 8-mai-1945 bestond uit door beekjes van elkaar gescheiden eilandjes – je kon er dus vissen vanuit je caravan of onder het scheren – had de hebbelijkheid – ochofobie? kinetofobie? – om af en toe een paar banden lek te prikken, en de ongelukkige toeristen vervolgens naar PP te verwijzen in ruil voor een tientje per band).

Telkens wanneer hun blikken elkaar kruisten schonk PP hem veelbetekenende knipoogjes; mannenmeligheid, oubolligheid in de stijl van Aldo Maccione. In de koffiepauze van tien uur (meestal om halftien) bombardeerde hij hem letterlijk met vragen, maar kreeg slechts één antwoord, telkens hetzelfde: ze belde bij me aan, meer niet, en PP tierde dat hij toch ook geen sukkel was, geen onbetrouwbaar sujet, dat zoiets, zo'n stuk dat ineens bij je aanbelt, hem nou nooit eens zou overkomen, dat zijn gelijkenis met Gene Hackman, knappe kop, stevig gebouwd à la Lino Ventura, toch meestal behoorlijk in de smaak viel, en dat Angelina Jolie beter bij hem had kunnen langskomen, goed, bij de garage dan, want Julie (zijn vrouw) zit toch altijd maar in de keuken, wat mijn pens verklaart, of onder de douche sinds ik er een nieuwe kop met vijf jetstralen op heb gezet; en ik zal jou eens wat vertellen, Arthur, ook al heb je een knap smoelwerk, je bent toch nog maar een kwajongen, en om zo'n vrouw te bevredigen, te vervullen, de belangen van zo'n vrouw zo goed mogelijk te behartigen, zo'n grote ster, tot in de diepste krochten, dan is een man, een stevige vent, voor de extase, een betere zaak; het gewicht smoort, begrijp je, dat verstikt, en verstikking is erogeen, dat kan iedere dame je vertellen, en jij bent net een kind, dat is geen keu die jij tussen je benen hebt, maar een veer, een veertje, een zuchtje wind, daar is niks verstikkends aan! (Pauze). Wel gotverdegotverdegotver! Waarop hij zijn peuk uitdrukte met de razernij van mensen die een spin dooddrukken, een vette, harige spin, met een buik zo wit als een puist vol pus, die iedereen wel had kunnen vergiftigen – Rastapopoulos in *Vlucht 714 naar Sydney*.

Nou, maak dat kreng van een C1 af en ga terug naar Tomb Raider, dat zou ik in jouw plaats doen, ik zou trouwens niet eens zijn komen werken, sukkel. Leg haar in de watten. Zorg dat ze opbloeit. Zorg dat je lekker ruikt, zoek naar mooie woorden. Grijp je kans, kerel van likmevestje, pluk haar, ze is een bloem. Het is een wonder, zo'n meisje; het betekent dat jij nu nooit meer lelijk zult zijn, dat je benijd en begeerd zult worden. Denk maar aan mij en Marilyn Monroe. Marilyn en ik. In jouw plaats zou ik kunnen sterven. Toen vertelde Arthur Dreyfuss hem over zijn idee. PP trok een beteuterd gezicht; maar je weet toch PP, verduidelijkte hij met een glimlach, mijn vrije dagen, al die dagen die ik nooit heb opgenomen in de afgelopen twee jaar, die zette je opzij voor een grote gelegenheid, zei je. Hij haalde diep adem, en waagde toen een montage: En schoonheid/is groter dan alles/groter dan een hart/een stofje onsterfelijkheid/als ze vervliegt.

PP glimlachte. Een vader. Je bent een gevoelig type, Arthur, je lijkt wel een dichter met je gebreide slagzinnen. Hup, schiet maar op. Neem haar mee, laat haar vliegen, stoot je hoofd maar aan de hemel. Geniet van de onsterfelijkheid, net wat je zegt.

Het was halfelf op de ochtend van de vierde dag. De zon scheen.

ARTHUR EN JEANINE

Jeanine Foucamprez had op dat moment geen werk.

Het was september en de tournee van Pronuptia zou pas weer in januari van start gaan, met nieuwe modellen – jurken van mikadozijde of ottomanzijde of Cornelli-kant, met parels – de huwelijksbeloften, de eerste zonnige dagen, de vurige opofferingen van de verloofden, het Dukan-dieet, de Nuvoryn-pillen, de maagbanden en andere wreedheden om mooi te zijn, al was het maar één keer, op de foto voor de eeuwigheid.

Ze was twee weken demonstratrice geweest in de Maxicoop in Albert (80300 – achtentwintig kilometer verwijderd van Amiens, achthonderddertien van Perpignan), op de afdeling gevogelte, en ook al had ze er te lijden van twijfelachtige opmerkingen – zoals *Ze hebben nu wel een heel lekker kippetje bij het gevogelte gezet*, en schunnige: *Joh, dat kippetje wil ik best een keertje volproppen*, of vulgaire: *Zeg, dat kippetje heeft een paar joekels van struisvogeleieren gelegd* – Jeanine Foucamprez had het leuk werk gevonden. Ze had een kostuum met zwanenveren, heel zacht, een draadloze microfoon en elke vier minuten een mooie tekst om op te zeggen: *kokette kipjes gaan hier in bakjes de deur uit*, en *geen feest zonder kipfilets*. De winkeliers waren allemaal heel aardig voor haar geweest, hier een kopje koffie, daar een reep chocola; ook de directeur, een diner in de Royal Picardie, en de boekhouder, een rondje in zijn nieuwe Jaguar XF; de bijbedoelingen, de dromen, de schunnigheden, de narigheid, zoals altijd, van alle mannen al sinds ze twaalf was; de charmes van een vrouw, een mond als een rijpe vrucht, een voorgevel en dat *je-ne-sais-quoi* (waarvan iedereen precies weet wat het is) waar mannen ongelukkig, grof en gek van worden en vrouwen argwanend, nerveus en gemeen.

Jeanine Foucamprez bleef nooit lang ergens werken: ze werd preventief van brandstichting beschuldigd, net als die Laurie Bee Cool, het evenbeeld van Lauren Bacall in de tekenfilm van Bob Clampett, die haar kielzog laat ontvlammen en het hart van Bogey Gocart in lichterlaaie zet. Ze werd zo veel mogelijk op afstand gehouden omdat ze giftig was, een bedreiging, een sirene, een afstammelinge van de riviergod Archeloos.

Ze was een droombeeld. In klinieken van vele verdiepingen hoog sneden mesjes nummer 10 in andere gezichten om dat van haar na te maken. Scalpels kerfden, coupeerden lichamen om ze naar haar beeltenis te vormen, grote borsten, smalle taille. Jeanine Foucamprez maakte mensen ongelukkig: de mannen die haar niet bezaten, en de vrouwen die niet op haar leken.

Het grootse bal van de uiterlijke schijn.

Ze moesten eens weten. Het leven van degene die als twee druppels water leek op het personage van Alex Foreman in de film *In Good Company* was een aaneenschakeling van mislukkingen, ellende en vernederingen.

De armen van haar moeder hadden zich nooit meer gespreid. Aan haar mond waren nooit meer lieve moederlijke woordjes ontsnapt. Haar handen hadden het kind nooit meer gekapt, nooit meer aangeraakt, nooit meer getroost. En toen de eerste rimpels verschenen in de hoeken van haar blinde ogen, toen ze wist dat ze zich nooit bij Pavlova, Nijinski of Nurejev op de koelkast zou voegen, dat ze de *échappé battu* of de *sissonne reti-*

ré nooit zou leren, werd het zwijgen van de moeder daar alleen maar dreigender van. Praat tegen me, mama, vroeg Jeanine, smeekte Jeanine. Zeg iets. Praat. Alsjeblieft. Ik smeek het je. Doe je mond open. Ze soebatte. Braak dan maar. Braak maar iets uit, als je wilt. Kots op mij als je wilt. Maar laat me niet alleen. Niet in de stilte, mama. Een mens verzuipt in de stilte. Dat weet je best. Bezweer me dat je dat niet van me vraagt. Bezweer me dat ik nog steeds je dochter ben.

Ook zwijgen heeft het geweld van woorden.

Jeanine Foucamprez was net negen jaar oud toen haar moeder haar achterliet bij haar tante, bibliothecaresse in Saint-Omer (in de Audomarois), een zachtmoedige vrouw getrouwd met een postbode, zonder kinderen, wat niets te maken heeft met het feit dat zij bibliothecaresse was en hij postbode. Ze woonden in een lief huisje met een tuin bij de meren van Malhove en Beauséjour. Bij hen ben ik opgegroeid, vertelde Jeanine Foucamprez aan de jonge automonteur. Hij ging altijd vroeg van huis. Vanzelfsprekend. Een postbode. Zodra de brievenbezorger de deur achter zich dicht had getrokken, zetten ze de platen van Céline Dion luidkeels op (ach! *Feliz Navidad*, ach! *It's all coming back to me now*). We dansten in de keuken. In de woonkamer. We zongen karaoke en schreden statig de trap af als grote sterren. We lachten. Ik was gelukkig. En om acht uur ging ik dan naar school en mijn tante naar de bibliotheek. 's Avonds lazen we romans. Of we keken televisie terwijl mijn oom aan de keukentafel een boek probeerde te schijven over de geschiedenis van het kanaal van Saint-Omer, een verhaal dat in de tiende eeuw begon, met monniken. Saai. Ik had het naar mijn zin. Maar het bleef niet zo.

Toen ze twaalf werd waren de kleine 'borstjes zo zacht en bleek als hosties', zoals de fotograaf ze had genoemd, uitgegroeid tot een ongelooflijke boezem die haar hardhandig ontrukte aan de kinderlimonade en de liedjes van Céline Dion om haar over te leveren aan de vleselijke lust van de zwijnen.

Dit was het begin van de eerste doorbetaalde vakantie van Arthur Dreyfuss: ze lagen allebei languit op de grond, omdat het huis geen tuintje had (wat de redelijke prijs verklaarde), op het hoogpolige kleed in de kleine woonkamer (IKEA, 133 x 195, de maat van een klein tweepersoonsbed), zo verzaligd alsof ze zich op een warm grasveld uitstrekten met boterbloemen om zich heen, zo gelukkig alsof ze 'ben jij ook zo gek op boter' hadden gespeeld met de gele weerspiegeling van die ranonkelachtigen op hun kin – een lief spelletje dat Arthur Dreyfuss graag met zijn kleine zusje zou hebben gespeeld, als de buurman meer voor chihuahua's had gevoeld dan voor dobermanns.

Jeanine Foucamprez keek naar het plafond met dezelfde glimlach als waarmee ze naar de hemel zou hebben gekeken, met zijn wolken en zijn witte vogels die je naar de andere kant van de wereld meevoeren, de kleur zo blauw als die van verliefde ogen in dat ene liedje; heel even voelde ze de kindertijd die ze miste. De tederheid van de brandweerman. De gratie van de danseres. En later, de puberteit, haar hand in die van een aardige jongen; een simpele droom van een leven, onbeduidend van aard, die toch vaak de sleutel tot het geluk omvat. Ze zuchtte, haar boezem vulde zich, en, omdat Jeanine Foucamprez languit lag, nam die niet meteen russmeyeriaanse proporties aan en ging de automonteur niet van zijn stokje; de opwindende borstpartij zwol één keer, twee keer, en daarop verzuchtte de nostalgische puber tevreden: 'Ik voel me fijn zo bij jou.'

Daarop kwamen de vingers van Arthur Dreyfuss, verstijfd

na zich zo lang niet te hebben verroerd op tien centimeter van dat uitzonderlijke lichaam, die tempel van alle zonden, als vijf schuwe kleine hazelwormen in beweging en probeerden de tweelinghand van de hand die de hand van Ewan McGregor had vastgehouden te bereiken, en toen ze daarin slaagden, spreidden de vingers van Jeanine Foucamprez zich als vijf zachte kleine bloemblaadjes op een bovenstandig vruchtbeginsel en verwelkomden die van Ryan Gosling *maar dan leuker*. Ryan Gosling *maar dan leuker* kneep in haar hand en trok die naar zich toe terwijl hij plotseling opstond.

'Kom mee!'

Ze kwam overeind, met een sprongetje zelfs. Arthur Dreyfuss glimlachte.

Hij was duizelig, net als op die dag dat hij in de eindexamenklas trichlooretheen had ingeademd, samen met de onlangs ontmaagde Alain Roger, en hij het *Stabat Mater* van Vivaldi had gezongen, ook al had hij dat nooit gehoord.

Christiane Planchard dankte het feit dat ze nog geen hartaanval had gehad aan haar sterke gestel en de regelmatige beoefening van yoga.

Christiane Planchard bezat aan de Rue Saint-Antoine de gelijknamige kapsalon die ook een paar dvd's verhuurde en laser- en inktcartridges innam om ze te laten vullen. Die Christiane Planchard zou, zonder de regelmatige yogabeoefening en het beheersen van haar emoties, hartstikke dood zijn gevallen toen ze Scarlett Johansson (Scarlett Johansson!) haar salon zag binnenkomen, geflankeerd door de snoeperige automonteur.

Desondanks klapte haar schaar hardhandig dicht op het moment dat haar mond wijd openviel en ze verknipte de ouderwetse pony van juffrouw Thiriard, gepensioneerd lerares Engels en tot op de dag van vandaag oude vrijster gebleven – wat de overjarige pony wellicht verklaarde.

Al het geroddel, gebabbel en geklets kwam tot zwijgen. De tijd stond stil. Je had een haar kunnen horen vallen.

Daarop was de doffe klik te horen van een smartphone waarmee iemand een foto nam en dat oneindig zachte geluidje leek het teken te zijn dat het leven weer op gang bracht. Christiane Planchard haastte zich, mevrouw Johansson, wat een eer, bent u... draait u een film in onze streek? Met Woody Allen? Hij houdt zo van Frankrijk! En hij speelt ook zo goed klarinet! Wat een mooi haar, en zo blond, het lijkt wel graan in april, een poel van havikskruid, het is, het is, u bent in het echt nog mooier, u, maar Arthur Dreyfuss viel haar in de rede: kunt u het heel kort knippen en zwart verven, alstublieft? Bij die woorden leek Christiane Planchard even te wankelen op haar benen, ze herstelde zich (dankzij de yogahouding die de *bhujangasana* heet, of de cobra, die *zelfvertrouwen geeft om obstakels te overwinnen en benodigde kracht om het leven aan te kunnen; principe: blauw licht visualiseren ter hoogte van de borst*), zwart, verven, goed, natuurlijk, Chantal, zorg jij voor mevrouw Johansson, zet de shampoo vast klaar alsjeblieft, de speciale, huphup; heel even, juffrouw Thiriard, alstublieft, u ziet toch wel dat, maar nee, nee hoor, uw nieuwe pony staat u heel goed, heel erg goed, het is *destruct*, er is juist zoveel vraag naar die pony; en terwijl er rondom de goddelijke actrice werd geredderd ging Jeanine Foucamprez op haar tenen staan, plantte een kus op de wang van Arthur Dreyfuss en fluisterde dank je wel in zijn oor, met de glimlach waar drieënhalf miljard mannen van zwijmelden.

Het hart van Jeanine Foucamprez klopte een beetje sneller. Hij wilde haar. Niet die andere.

En terwijl de blonde lokken van Jeanine Foucamprez achteloos en stil op de grond vielen en eerst een gouden kroon en daarna een rossig tapijt aftekenden, las Arthur Dreyfuss geduldig in beduimelde tijdschriften (ingevulde sudoku's en kruiswoordpuzzels, uitgescheurde recepten en met balpen getekende snorren op het gezicht van die arme Demi Moore en haar pedante jonge kwast). In een oud nummer van *Public* kwam hij een artikel tegen over de aanstaande *Iron Man 2*, met Robert Downey Jr., Gwyneth Paltrow en... Scarlett Johansson in de rol van de Zwarte Weduwe, lang, roodbruin haar, getailleerd zwart pakje, en weer die verbijsterende boezem. Christiane Planchard begon de haarverf op te brengen. Hij bladerde door andere roddelbladen, las oude horoscopen en kwam een verbazende getuigenis tegen van een vrouw die *nymphoplastie* had ondergaan. Tot op dat moment had hij gedacht dat een nimf een mooi meisje was in een sprookje of, zoals hij van zijn vader had geleerd, een fase in de metamorfose van een insect, en nu las hij hier dat er vrouwen waren die hun vagina aan de scalpels van de plastische chirurgie toevertrouwden. *Mijn kleine schaamlippen bungelden, mijn geslachtsdeel zag eruit als de nek van een oude kalkoen. Sinds de operatie ziet het eruit als dat van een jong meisje, helemaal glad en fris.* Hij kreeg er kippenvel van.

De leugen nestelt overal.

Twee uur later – er was twee keer iemand naar Dédé la Frite gegaan om koffie te halen voor mevrouw Johansson en het snoepje van de week; we zijn een bescheiden salon maar we weten wel wat service is, had Christiane Planchard verklaard – kwam Jeanine Foucamprez als brunette tevoorschijn, kort geknipt, warrig, jongensachtig (voor wie het zich herinnert, een beetje zoals het kapsel van Anne Parillaud in *Nikita*), en iedereen was het erover eens dat ze er heel mooi uitzag zo; dat het weliswaar een beetje vreemd was eerst, omdat ze eraan gewend waren haar blond te zien met los haar of in een knot, maar ja, ze was zo ook heel mooi, heel erg mooi zelfs. Jeanine Foucamprez wilde wel even naast Christiane Planchard poseren voor een foto die de volgende dag uitvergroot en ingelijst zou worden, en dan aan de muur zou komen te hangen, achter de kassa.

Toen ze naar buiten liepen schoof ze haar arm in die van Arthur Dreyfuss en ze kregen applaus. Voor alle mensen die daar die dag aanwezig waren, was het beeld van dat onwaarschijnlijke, knappe stel er één van licht, een soort visioen waarvan niemand de gewelddadigheid van de duisternis die het zou overweldigen kon vermoeden; binnen achtenveertig uur nu.

Die zevende dag, vervloekt, zwart en purperrood.

Ze liepen naar de garage waar ze van PP *het vervangend vervoer* (een oude Honda Civic) leenden en ook PP kon een compliment niet voor zich houden, u bent nog mooier dan gisteren, *mademoiselle* Angelina. Jeanine Foucamprez glimlachte aanminnig.

Arthur Dreyfuss reed voorzichtig gedurende de tweeëndertig kilometer die Long van Amiens scheidde, waar hij had gereserveerd in het Relais des Orfèvres, omdat ze steeds zaten te praatten en een gesprek leidt aan het stuur altijd een beetje af. Het was lief van je om aan de kapper te denken, zei zij. Het staat je heel goed, zei hij. Vind je? Ja. Ze bloosde. Hij ook. Waar breng je me naartoe? Dat is een verrassing. Ik houd van verrassingen. Ik hoop dat je deze leuk vindt. Vast wel. Wat een geluk dat ik je zag afgelopen maart. Je was zo knap. Hou op. Zo ontroerend met dat kleine meisje. En haar lach. Verdomme, haar lach. Daardoor heb ik bijna elke dag aan je gedacht. Je zult me wel een muts vinden. Nee hoor. Ik droomde ervan je te ontmoeten. Dat je mij net zo zou laten lachen zoals zij. Trouwens jawel, je bent een muts. Dat we vrienden zouden worden. Dat. En zo verder, tweeëndertig kilometer lang.

Het was puberaal, charmant, geduldig, gewild gebabbel – dat moment van vooraleer waarop alles nog mogelijk is; die woorden die daar liggen, wanordelijk, vóór het schrijven.

Er lag geen spoor van haast in de houding van Arthur Dreyfuss, geen spoor van provocatie in die van Jeanine Foucamprez, en telkens als ze haar hand naar haar haar bracht, als ze kennismaakte met haar nieuwe kapsel, hadden haar gebaren iets terughoudends, iets ontroerends, iets wat de bestuurder vervulde van geluk. Toen ze bij het beroemde restaurant aankwamen legde ze een hand op zijn arm.

'Dank je wel dat je me van Scarlett wilt losmaken, Arthur. Dat je naar mij toe komt. Mij probeert te zien... mij zelf.'

Arthur Dreyfuss glimlachte. En zei niets, omdat er niets te zeggen was.

In het Relais des Orfèvres, het restaurant van chef-kok Jean-Michel Descloux, bestelden ze het menu *Tradition* – toch nog dertig euro, dacht de automonteur, maar als je met zo'n meisje uit bent – een Marilyn Monroe, had PP gezegd, die haar voor Angelina Jolie aanzag – zeg je dank je wel. Zeg je geld speelt geen rol. Denk je *carpe diem*.

(Het menu *Tradition*, voor de liefhebbers: als entree een knapperig timbaaltje van gerookte zwarte koolvis met een crème van bloemkool, als hoofdgerecht gerookte schelvisrug met algenboter en een hamkrul met een saus van *piquillo's*, een soort zoete paprikaatjes uit Lodosa in Baskenland – en tot slot, de kaaswagen van Julien Planchon *of* de dessertkaart. Het spaarzame mirakel van die dertig euro zat hem in dat *of*).

Natuurlijk werden ze vanuit alle ooghoeken bekeken. Vooral zij. Ze werden aangewezen, min of meer discreet. De klanten fluisterden opgewonden en Arthur Dreyfuss weet dat aan hun verveling. Een gewone maar goedgeklede man, vergezeld van een bijzonder mooie vrouw, bekeek de andere vrouwen. De vrouwen van anderen. De trofeeën.

Nog steeds dat grootse bal.

Jeanine Foucamprez' wangen glommen roze en parelmoer als die van Scarlett Johansson, en ook al vormde haar kapsel een radicale verandering ten opzichte van het bestaande beeld van de weelderige actrice, je moest toegeven dat de gelijkenis er nog altijd was. God wat vond Arthur Dreyfuss haar mooi. Ze was eindelijk uniek: niemand had haar ooit zo gezien, voordat hij dat deed; noch dat gezicht, noch die bijna kinderlijke blijdschap. Hij zou, zoals zovelen op dat moment, wel hebben willen sterven om de plaats in te kunnen nemen van dat lepeltje *crème de choufleur* dat ze naar haar wellustige, ongelooflijke lippen bracht, in haar mond stopte en er glanzend als een filmtraan weer uithaalde; Woody Allen had er immers van gedroomd om de halsketting van Ursula Andress te zijn. Ik heb nog nooit zoiets lekkers gegeten, bekende Jeanine Foucamprez ontroerd, met vochtige ogen. Behalve één keertje misschien, een *ficelle picarde* in het Royal Picardie met de directeur van de Maxicoop. Toen ik op de afdeling gevogelte werkte. (Voor de al eerder genoemde liefhebbers, het gaat hier om een crêpe met ham en champignons, uit de oven, 420 calorieën/100 gr). Maar dat was vervelend, ging ze verder. Hij at heel snel. Hij keek me raar aan. Hij zweette. Hij vroeg maar steeds of ik de kamers van het Royal kende. Hij zei dat het goed voor me zou zijn als ik daar wat zou rusten, na het eten. Om de maaltijd te verteren. De ficelle picarde is toch wat zwaar, net als een gratin met kaas. En blablabla. Tien ton waard, die directeur. Getrouwd. Twee volwassen dochters. En dat jaagt op meisjes van hun leeftijd. Arthur Dreyfuss wilde een vraag stellen maar ze bracht hem tot zwijgen met een beweging van haar schouder en zei glimlachend, met het lepeltje tegen haar betoverende lippen: Wat denk je wel, Arthur. Ik geef me toch zeker niet voor een ficelle picarde. Hij glimlachte, schijnheilig. Je hebt een mooie mond, twee mooie meisjes en daar ga je, dan durven ze ineens van alles. Ik heb zulke vulgaire mannen gekend, Arthur. Snelle, knappe, heel erg knappe zelfs. Oude, kleingeestige, oneerbare en opdringerige. Ze hebben het allemaal geprobeerd. Met bloemen, chocola, ficelles picardes, geld. Heel veel geld zelfs. Net beledigingen. Wat hebben ze het moeilijk. Eén keer een diamant. Maar zonder het huwelijksaanzoek. Alleen het aanbod van een appartement, voor later. Alsof ik een prostituee was. En een keertje een Fiat 500, met leren interieur. Ach, mannen. En ik mocht de kleur kiezen. Maar ik heb er nooit eentje ontmoet die gewoon aardig was. Echt aardig. Jij bent de eerste, Arthur. En aardigheid, dat brengt meisjes van hun stuk, want dat vraagt niets in ruil.

Het hart van Arthur Dreyfuss raakte bevangen door een lichte ventriculaire contractie. Hij wilde net zijn ruwe hand, die elke motor ter wereld (en misschien op een dag het hart van de mens) kon demonteren en repareren, op het poezelige handje van Jeanine Foucamprez leggen, toen er vlak naast hen een klein stemmetje klonk: 'Mag ik alstublieft een handtekening, Scarlett?'

Er stond een mollig klein meisje naast hun tafel. Ze stak Jeanine Foucamprez een menu toe voor een handtekening en bekeek de New Yorkse actrice met ogen vol liefde en toewijding; de ogen van een natte hond, type basset, onderwerping en aanbidding, kortom: een Bernadette Soubirous van Lourdes in miniatuurformaat. Ik heb al een handtekening van Jean-Pierre Pernaut en de Fatals Picards (die Frankrijk tevergeefs vertegenwoordigden bij het Eurovisie Songfestival van 2007), voegde het meisje eraan toe, maar nog niet van zo'n beroemde actrice als u. Meteen sprongen er tranen in de mooie ogen van Jeanine Foucamprez. Ze bracht haar handen naar haar korte zwarte haar dat haar gelijkenis met de fantastische actrice niet verhulde, de geschrokken kleine fan deinsde een stap achteruit, de actrice stond bruusk op, haar stoel viel op de grond; in tranen sloeg ze op de vlucht. De lippen van het kind trilden toen ze vroeg: Wat heb ik verkeerd gedaan? Maar Arthur Dreyfuss stond ook op, wierp het verschuldigde bedrag op tafel – zoals hij iemand had zien doen in *The Soprano's* – en ging op jacht naar Jeanine Foucamprez, alsof hij op jacht was naar het geluk.

Ze zat buiten, op de motorkap van *het vervangend vervoer*.

Arthur Dreyfuss had niet echt woorden voor een dergelijke situatie. Zo goed als hij was in het troosten van een vrouw die in tranen was omdat haar auto niet startte en haar gerust te stellen over haar onthoofde cilinderkop, zo slecht was hij in het repareren van het verdriet van een meisje dat huilde omdat een ander, in Amerika, haar overmeesterde, haar van haar leven beroofde. Hij verzamelde zijn moed en stak zijn hand uit. Waagde het om haar korte, jongensachtige haar te strelen en de glanzende druppels die in haar ogen parelden weg te vegen, als van een aquarel. Hij dwong zich tot een rustige, warme ademhaling, een mannentruc in de stijl van PP, adem waaraan ze zich kon overgeven, waar ze zich veilig bij kon voelen; ver, ver weg van *die ander*.

Het kostte Jeanine Foucamprez een poosje om haar kalmte te hervinden, maar toen keek ze diep in de ogen van de automonteur en werden er stilzwijgende woorden gewisseld. Ze liet zich langzaam van de motorkap van de auto glijden, ging op haar tenen staan en groeide en groeide, tot haar fluwelen lippen zich op die van Ryan Gosling *maar dan leuker* drukten.

Het was een echte eerste liefdeskus.

Door die heerlijke kus vergat Arthur Dreyfuss al snel de tegenvaller van het restaurant. Zijn hart nam vlucht, zijn ziel danste. Hij was Bambi.

Onder het rijden met de heerlijke Jeanine Foucamprez naast zich zong hij luidkeels het lied dat op datzelfde moment op de autoradio klonk: *Il ne faut pas jouer avec l'amour/Il ne faut pas, pas même un jour/Toutes ces larmes que j'ai fait couler/Je ne pourrai les oublier/On comprend toujours trop tard/Qu'un petit mot, un seul regard/En un instant peut tout détruire,*[5] een oude smartlap van Valdo Cilli (geboren in Italië in 1950, in Roubaix vanaf 1958, waar hij zanger in dancings en op gala's werd, die zijn glorietijd kende in het voorprogramma van Gérard Lenorman; gevloerd door een hartaanval, nog altijd in Roubaix, in 2008 – ach, het noorden kan zo wreed zijn); de demonstratrice van de afdeling gevogelte schaterde het uit en die twee, die zo behoedzaam de donzige weiden van aantrekkingskracht en lust betraden, waren heel mooi.

Na het zoete gekweel van Valdo Cilli had Jeanine Foucamprez verzocht om een bezoek aan Saint-Omer zodat ze de automonteur aan haar tante kon voorstellen – de kinderloze bibliothecaresse, echtgenote van een postbode die vol toewijding een boekje over het kanaal van Saint-Omer redigeerde. En omdat de kliniek waar de moeder van Arthur Dreyfuss was opgenomen op hun weg lag, spraken ze af om daar ook te stoppen. Elkaar voor te stellen, als beloften.

Lecardonnel Thérèse was al enkele jaren eerder opgenomen in de kliniek van Abbeville, gespecialiseerd in alle soorten psychiatrische aandoeningen: afasie, aliënatie, hallucinaties, psychosen en andere verborgen kwetsuren, bloeddorstige angsten en spookbeelden.

Het is een feit dat de geregelde, buitensporige consumptie van alcohol (martini, in dit geval) kan leiden tot Wernicke-encefalopathie, alcoholdementie of het syndroom van Korsakoff; dat laatste werd geconstateerd bij de ontroostbare moeder van Noiya.

Bij Lecardonnel Thérèse werden anterograad geheugenverlies, verwarring, geheugenvervalsing en anosognosie vastgesteld. Ze zou euforische stemmingen kennen, maar ook het verdwijnen van reflexen, en soms structuurverlies in het taalgebruik.

Ze waren er tegen drie uur.

Ze zat op een bankje, in de tuin. Haar hoofd knikte heen en weer als dat van plastic hondjes op de hoedenplank van sommige auto's. Er lag een plaid over haar knieën, al was het nog zacht weer. Arthur Dreyfuss ging naast haar zitten. Jeanine Foucamprez hield zich op de achtergrond; ze kende de oceanen die iemand van een moeder kunnen scheiden en deze zei, zonder haar zoon zelfs maar aan te kijken: ik heb mijn koekje al gehad, schatje, ik heb geen honger meer, ik zit vol. Ik ben het, mama. De honden ook niet. Geen honger meer. Allemaal vol. Dikzakken. Ze hebben mijn kinderen opgegeten. Ik ben Arthur, fluisterde Arthur Dreyfuss, ik ben je zoon. Hou op, George, je verleidt me toch niet. Helemaal leeg. Geen hart meer, hart ingeslikt, zei ze in een boze samentrekking, nog steeds zonder haar zoon te hebben aangekeken. Hou op, mijn man komt er aan, heel boos. Mijn man. Vertrokken. Waar is zijn lichaam. De hond eet. (Wie is George?)

Jeanine Foucamprez ontmoette Arthurs blik; ze glimlachte verdrietig, bijna in tranen, en prevelde: 'Ze praat, zij praat tenminste tegen je.'

Arthur Dreyfuss legde voorzichtig zijn hand op de schouder van zijn moeder, een klein musje. Ze bewoog nog steeds niet. Hij was erg aangedaan; hij verweet zich dat hij niet eerder was gekomen, dat hij dit bezoek steeds had uitgesteld vanwege een olieverversing, een apk, de vuile bougie van een brommertje, omdat we onze dierbaren altijd overal door laten verdringen; hij besefte opeens de vergankelijkheid van alles en wist zich een slechte zoon voor zijn moeder die nu langs etherische, gevaarlijke dreven dwaalde, en die schande doorboorde zijn hart, scherp als een dolk.

'Ik kom je gedag zeggen, mama. Horen hoe het met je gaat. Ik kan je verhaaltjes vertellen als je wilt. Je vertellen wat ik doe, als je wilt, als dat je interesseert. En iemand aan je voorstellen. (...) Ik kom even samen met jou op papa wachten' – bij die woorden wendde Lecardonnel Thérèse langzaam haar gezicht naar haar zoon. Toen glimlachte ze. Geen onverdeeld genoegen: tussen haar lippen was één op de twee tanden verdwenen, en wat er nog dapper restte, had de kleur van was. Het was een schok. Op zesenveertigjarige leeftijd was Lecardonnel Thérèse een oude, afgeleefde, gebroken vrouw; Inke, de moorddadige dobermann, verslond na vijftien jaar nog altijd haar hart, haar schoot en haar ziel.

Ineens maakte haar lelijke glimlach echter plaats voor de blij verwonderde van een simpel kind, een dorpsgek, haar bevende vinger wees naar Jeanine Foucamprez op twee stappen afstand, en met stokkende stem riep ze uit: 'O kijk, Louis-

Ferdinand, Elizabeth Taylor staat naast je! Wat is ze mooi... Wat is ze mooi...'

Behoedzaam kwam Elizabeth Taylor dichterbij, hurkte neer bij de oude dame van zesenveertig, pakte haar beide handen en drukte er een kus op.

Ze arriveerden tegen sluitingstijd bij de stadsbibliotheek van Saint-Omer. Jeanine Foucamprez maakte malle bokkensprongetjes toen ze haar tante zag die in de verte een paar boeken in de kasten voor de jeugd zette. Roald Dahl, Grégoire Solotareff, Jerome K. Jerome; daarna holde ze op haar af en de kinderloze bibliothecaresse spreidde haar armen met een luid en verheugd en donderend *Jeanine*!

Arthur Dreyfuss glimlachte droevig bij de gedachte aan zijn moeder, opgesloten in haar verslonden lichaam, op haar klaagbank; zijn eigen moeder die hem niet meer kende, nooit meer een luid, verheugd en bulderend *Arthur!* zou laten klinken.

Na een omhelzing à la Lelouch (*Mijn kleine Jeaninetje! Chabadabada, Tata! Chabadabada*) stak Jeanine Foucamprez haar hand uit naar Arthur Dreyfuss. 'Mag ik je Arthur voorstellen, tata.' Tante keek schalks, Jeanine Foucamprez bloosde een beetje, *gewoon* een vriend, tante, Arthur Dreyfuss. Op het moment dat die naam werd uitgesproken, verdween het schalkse gezicht van de bibliothecaresse, haar mond trok zich samen, vormde een soort hoofdletter O waar de naam van de vriend uit vloog, praktisch onhoorbaar: Arthur Dreyfuss. U bent Arthur Dreyfuss? De bibliothecaresse zag er ineens uit alsof ze zou flauwvallen. 'Arthur Dreyfuss?' Vervolgens liep ze weg, met kleine, broze stapjes. Het hart van Arthur Dreyfuss klopte gejaagd. Wat had hij gezegd? Zag ze hem voor een ander aan?

Herinnerde hij haar aan iets akeligs? Een verborgen verdriet, een schaduw uit het verleden? Een leugen tegen zichzelf?

Hij dacht terug aan die Parijzenaar op de Camping du Grand Pré (bij wie een band van zijn witte Saab 900 uit 1986 en eentje van zijn Caravelair Venicia 470 – vier slaapplaatsen – ongelukkigerwijs en tegelijkertijd lek waren geraakt) die aan wie het maar horen wilde, vertelde dat zijn vrouw zo op Romy Schneider leek, dat ze zelfs dagelijks aangehouden werd op straat door mensen die zich verwonderden over die gelijkenis, en wel vanmorgen nog, de kapster van het dorp, een mevrouw Pluim, of Plakker, en dat dat goed uitkwam want persoonlijk beschouwde hij de Duitse actrice als de meest begaafde, meest briljante en allermooiste aller tijden, en toen had PP hem gevraagd wat hij dan wel uitvoerde in een lelijke caravan op een miserabele natte camping, vergeven van de muggen, waar banden op mysterieuze wijze lek raakten; want als ze dan zo mooi was, die Romy Schneider, zou hij, PP dus, haar op vakantie meenemen naar een plek onder de mangrovebomen, of onder de flamboyanten, naar een blauwe lagune waar ze naakt in zou kunnen zwemmen, meneer, naar warme groene eilanden met koele watervallen; in het water/een opwelling van liefde, had Arthur gefluisterd; want als het uiterlijk dan zo belangrijk voor u is, meneer de Parijzenaar, was PP verdergegaan, moet u haar respecteren, haar vleien, haar voorliegen, dan moet alles mooi zijn om haar heen, als de zetting van een juweel, jawel, zo denk ik erover! En zo niet, dan moet je de mensen zien zoals ze zijn, en niet zoals je ze droomt. En de Parijzenaar had beledigd een foto van zijn vrouw laten zien op het scherm van zijn mobiele telefoon, en noch PP, noch Arthur Dreyfuss, noch zelfs de vrouw van de notaris (die kwam kijken of PP er was of om precies te zijn *of hij er niet toevallig was*) herkende

Romy Schneider op het kleine scherm. Ze lijkt eerder op een jonge Denise Fabre! riep de vrouw van de notaris uit, of Chantal Goya, met ander haar, bracht PP te berde, hoewel, ze heeft ook wel iets van Marie Myriam, toch, als je snel kijkt, waarop de Parijzenaar zijn telefoon haastig weer in zijn zak stopte, jullie zijn vervelend, zei hij, ze lijkt echt op haar, zelfs meneer Jipé, van de camping, is het opgevallen.

De bibliothecaresse kwam weer terug. Ze had een boek in haar hand en plotseling stralende ogen. Haar handen beefden licht. 'Bent u dan deze Arthur Dreyfus[6]?' en Arthur Dreyfuss deed zijn ogen open.

Nee.

Zelfs al had de duizeling van de illusie hem heel even in verleiding gebracht; nee. Ik ben niet die Arthur Dreyfus, mijn naam heeft twee *s*'en en ik ben automonteur: mijn handen/ maken geen woorden. Jeanine Foucamprez kwam dichterbij, nam het boek aan. Wat is dat? De tante glimlachte, verontschuldigde zich voor haar homofone vergissing, ik ben dom, ik dacht even dat u hem was, dat u hem zou *kunnen* zijn, dat u zich inleefde in de rol van een van uw personages, een automonteur kennelijk, voor onderzoek, voor uw volgende boek, het spijt me. Waar hebben jullie het over? vroeg Jeanine Foucamprez opnieuw, veel luider deze keer. Ik droom er al zo lang van om een schrijver te ontmoeten, ging de tante verder, een echte, niet noodzakelijkerwijs een beroemde, maar er komt er hier nooit eentje, het is te klein, te ver, te nat, geen budget voor een reiskostenvergoeding, alleen een maaltijd, maar voor minder dan vijf euro, dat is niet eens genoeg voor een dagmenu, helaas, een sandwich wordt duurder verkocht dan een pocketboek, ik weet best dat we moeten eten, maar dromen hebben we ook zo hard nodig, er valt hier zestig centimeter water per jaar, de gemiddelde temperatuur bereikt nauwelijks de tien graden en de keramiek van het museum Sandelin komt iedereen de neus uit; een auteur daarentegen, daar ga je van dromen, die maakt woorden weer genadig en zorgt dat al die regen en die tien graden eindigen in poëzie.'

Na een korte handdruk/Is hij op reis gegaan/Alleen de dingen bleven over...[7]

‘Op een enkele letter na was je een schrijver,’ prevelde Jeanine met een treurige glimlach. ‘Je was iemand anders. Net als ik.’

De nacht viel. Ze waren weer op weg, na voor de bibliotheek van Audomarois afscheid te hebben genomen van de tante. Tante was op haar fiets vertrokken (een vervoermiddel dat ze dagelijks gebruikte, ongeacht de weersvoorspellingen – uit solidariteit met de postbode en uit liefde voor de schrijver van de geschiedenis van de kanalen van Hoog en Laag Meldyck, tegenwoordig het kanaal van Saint-Omer).

In *het vervangend vervoer* zat Jeanine Foucamprez ineengedoken, met beide voeten op de stoel, zoals je gaat zitten als je even moet bijkomen. Of gewoon als je het koud hebt, van binnen.

‘Ooit wilde ik naar de Verenigde Staten om haar te ontmoeten.

Ik wilde dat ze zichzelf zou zien. Dat ze zich voorstelde wat mijn leven moest zijn met haar gezicht. Haar mond, haar jukbeenderen, haar borsten. Ik dacht dat het voor haar ook angstaanjagend zou kunnen zijn, het feit dat ze twee keer bestaat. Dat ze ontdekt dat ze niet uniek is. Niet zeldzaam. Drie maanden geleden heeft de redactie van *Beauté Conseils* haar aangewezen als *mooiste vrouw ter wereld.*’ (Ze glimlachte verbitterd.) ‘Ik ben de mooiste vrouw van de wereld, Arthur. De mooiste vrouw van de wereld, met het beroerdste leven van de wereld.

Wat is het verschil tussen haar en mij? Het feit dat ik twee jaar later geboren ben? Twee jaar te laat? Dat zij het licht is, en ik de schaduw? Waarom zijn onze levens niet verwisseld?'

Buiten, kale, eindeloze akkers, waar over een maand de tarwe gezaaid zou worden. Een paar dikke regendruppels op de voorruit, maar het noodweer barstte niet los.

'Uiteindelijk ben ik niet gegaan. Waarom zou ik? Om te horen te krijgen dat ik moet ophouden met op haar te lijken? Laat uw neus veranderen. Uw mond. Neem gekleurde lenzen, juffrouw boerentrien. Laat uw huid pigmenteren. Neem kleinere tieten. Hop, wegwezen. Hou op met op haar lijken. Vind uzelf. Vind uw eigen kleine zieltje. Blijf niet hier, verdwijn. U mag niet meer op haar lijken, u berokkent haar schade. Ga maar op iemand anders lijken als u dat zo graag wilt. Lijk op uzelf.'

Arthur dacht aan gezichten die hij weleens had gezien in tijdschriften of in de Galeries Lafayette in Amiens, van vrouwen die om op anderen te lijken hun jukbeenderen lieten afschuren, hun kiezen lieten trekken om hun wangen te laten invallen, hun lippen lieten opblazen tot een belofte van wellustigheid, en hun oogleden hard omhoog lieten hijsen, als luxaflex boven een verloren jeugd, boven vervlogen illusies, en ineens leek de dauwfrisheid van Jeanine Foucamprez hem de ware schoonheid te zijn: zelfrespect.

'Uiteindelijk ben ik niet gegaan. Stel dat ze medelijden met me hadden gehad? Omdat ik misschien wel een monster ben. Ze zouden me hebben aangeboden om haar invalster te worden. Haar schaduw. De schaduw van haar schaduw, net als in dat liedje van Brel. Ik zou naar Balthazar of naar Mercer zijn gestuurd en in haar plaats door strontvliegen worden belaagd, terwijl zij stiekem op stap ging met een nieuwe *boy-*

friend. Haar invalster voor de seksscènes. Wat dat betreft is ze nogal flauw in haar films. Ze laat nooit haar borsten zien. We hebben bijna dezelfde maten, wist je dat? 93-58-88 voor haar. 90-60-87 voor mij. Ik kan niet eens werk vinden met dat hoofd van mij, Arthur. Ik ben alleen maar goed genoeg om een totebel te spelen in een supermarkt of in een trouwjurk, en er is geen enkele kerel die niet probeert om zijn hand op mijn kont te leggen of me in zijn nest te krijgen om te weten hoe het is om Scarlett Johansson te neuken. Pardon. Ik ben vulgair. Omdat ik verdrietig ben.'

Arthur Dreyfuss was ook verdrietig.

'Wat zou je doen als je haar was?'

Toen ontvouwde Jeanine Foucamprez haar hervonden lichaam en glimlachte. Eindelijk.

'Dat is een stomme vraag. Maar wel grappig. Dus één, ik zou zelfmoord plegen om Jeanine Isabelle Marie Foucamprez, hier aanwezig, DEFINITIEF te rusten te leggen. Twee, ik zou alle kopieën van *Love Song* verbranden, want daar vind ik mezelf superslecht in. Drie, ik zou niet naar bed gaan met die kleine Kieran Culkin. Dat zweer ik. Vier, ik zou proberen een plaat op te nemen met Leonard Cohen. Vijf, een film met Jacques Audiar. Zes, ik zou stoppen met spelen in reclames die ons wijsmaken dat we mooier zijn met een tas van Vuitton of een crème van L'Oreal, bijvoorbeeld. Zeven, ik zou kleine meisjes uitleggen dat niet de schoonheid zo bekoorlijk is, maar de levenslust, en dat er altijd wel een liedje is dat hun leven kan redden als ze bang zijn. Acht, ik zou een plaat maken met allemaal van dat soort liedjes. Negen, ik zou een film produceren voor mijn grote zus Vanessa en ik zou mijn moeder eindeloos verwennen! Tien, ik zou tegen de mensen zeggen dat ze over twee jaar weer op Barack Obama moeten stemmen, en elf, omdat ik wel heel erg rijk moet zijn met al mijn hoofdrollen, zou ik een vliegtuig nemen, een eersteklasticket, jawel meneertje. Ik zou de hele vlucht lang Taittinger Comtes de Champagne drinken. Ik zou kleine beetjes kaviaar opsmikkelen. En ik zou hierheen komen. Ik zou mijn carrière opgeven, net als Grace Kelly, en bij jou blijven. Als je dat wilt.'

Arthur Dreyfuss was geschokt.

Hij zette *het vervangend vervoer* aan de kant, liet de motor draaien en keek haar aan. Ze was mooi met haar glimmende wangen, de tranen welden op in zijn automonteursogen en hij bedankte haar. *Dank*. Want als Follain dat zelf nooit had gebruikt in zijn prachtige woordmontages, moest dat wel een zeldzaam, kostbaar woord zijn, een schitterend woord dat aan zichzelf genoeg had. En op dat precieze moment had Arthur Dreyfuss een zeldzaam woord nodig.

Toen ze even later weer wegreden, voelde hij zich ouder.

Midden in de nacht kwamen ze aan. Jeanine Foucamprez was ingedommeld op de passagiersstoel. Ze reden dwars door Long tot ze bij het huis van Arthur Dreyfuss kwamen, op de departementale weg nummer 32, boven aan het dorp.

Ze waren onderweg gestopt om te tanken en hadden van de gelegenheid gebruik gemaakt om een filterkoffie te drinken (nou...) en een in plastic verpakte, slappe, waardeloze sandwich te eten, zo eentje waarvan het kruim aan je verhemelte plakte; een sandwich voor tandelozen, had hij gezegd, en zij had geglimlacht, en toen hadden ze aan zijn moeder gedacht en zichzelf ineens gemeen gevonden.

Eenmaal thuis had Jeanine Foucamprez een lief kusje op zijn wang gedrukt, dank je wel, dat was een mooie dag, Arthur, ik heb me niet zo fijn gevoeld sinds ik met mijn tante de trap afliep en *My Heart Will Go On* zong (de soundtrack van *Titanic*) en met die woorden liep ze bij deze gelegenheid de trap op, naar zijn slaapkamer, waar ze zich op het bed liet vallen, verlamd van vermoeidheid en alle emoties.

Arthur Dreyfuss ging op de bank zitten waarop hij al vier nachten sliep en sliep niet.

Wat kwam Jeanine Foucamprez, onder de magnifieke trekken van Scarlett Johansson, bij hem doen? Ze had hem leuk gevonden, knap, de eerste avond had ze *cute* gezegd, *you're so cute, so cute*, ze had ernaar verlangd om hem te zien sinds hij de fiets van een kind had gerepareerd, en ineens had ze voor zijn deur gestaan, bij het vallen van de avond, vier dagen geleden, met haar namaak-Vuitton Murakami en wat spulletjes, niet eens genoeg voor een week; ze hadden één keer gekust, en dat was een kus geweest om het trillen te laten ophouden, de tranen te stelpen, toen haar kwelgeest Scarlett Johansson opnieuw was verschenen in het restaurant; nog geen verloving. Hij vond haar aantrekkelijk (want Scarlett Johansson), maar Jeanine Foucamprez ook. Hij hield van haar porseleinen craquelé. Haar breuklijnen. Van alles wat er gebroken was, bij haar van binnen, net als bij hem. Wellicht dingen die *wachten tot een handschrift hen bevrijdt*[8], zoals Follain schreef. Maar daarna. Daarna.

Hoe is het leven daarna, met Scarlett Johansson aan je arm die Scarlett Johansson niet is, maar voor Scarlett Johansson wordt aangezien tot je gezonde verstand je van het tegendeel overtuigt, omdat Scarlett Johansson niet aan de arm van Michael Caine aanwezig kan zijn bij de uitreiking van de Nobelprijs in Oslo (Noorwegen) en tegelijkertijd in Long, Frankrijk; omdat ze niet drie maanden op het toneel kan staan in het Cort Theater in New York (138 West, 48th Street) in *A View from the Bridge* van Arthur Miller, en tegelijkertijd in de Ecomarché van Longpré-les-Corps-Saint de versheid van een zeeduivel kan bespreken.

Wat is er voor leven daarna, met Scarlett Johansson. Eerst ben je alleen haar nieuwe vriend en bovendien totaal onbekend; een paparazzo volgt je tot aan het strand van Etretat of dat van Le Touquet en de telelens ontdekt een geboortevlek op je linkerbeen, ter hoogte van de psoas – tien centimeter onder de bil – en als die foto eenmaal gepubliceerd is, reageert *Point de Vue* verbaasd over dat teken van adel, *Voici* pakt uit met de verdenking dat het een gulzige zuigzoen betreft, en *Oops* gaat voor huidkanker. De leugens beginnen.

De kern of het vlees, waar ligt de waarheid. In zijn hoofd buitelen de beelden over elkaar. Hij stelt zich het lichaam voor als een mantel. Je zou je ervan kunnen ontdoen, je zou het kunnen ophangen, het achterlaten op een kleerhanger als het je niet meer past. Een ander lichaam kiezen, dat je beter staat, dat het silhouet van je ziel nauwkeuriger, eleganter omsluit. In de maat van je hart. Maar dat bestaat niet, en in plaats van het te temmen, het een nieuwe woordenschat en nieuwe gebaren te leren, wordt erin gesneden. Met lange messen wordt het opgelapt, opnieuw aaneengenaaid. Vervalst. De mantel lijkt nergens meer op – een vod, een deerniswekkende zeemleren lap. Zoveel vrouwen dromen er koortsachtig van op een ander te lijken. Op zichzelf misschien, op zichzelf maar dan leuker. Het verdriet en de leugen zijn er echter nog steeds. Die verlaten je nooit. Als een neus van Claoué midden op je gezicht. Wie zichzelf verlaat, kan niet anders dan zichzelf verliezen. Hij vermoedt de last van het lichaam, de last van hun pijn, omdat Jeanine hem over haar pijn vertelt; maar in al je ongeluk ben je mooi, Jeanine. Jij kent de schaamte niet van lelijkerds die zich mooi weten en die langzaam maar zeker aan geringschatting ten onder gaan, blik na blik, telkens weer. Jij kent de last niet van een omvangrijk lichaam dat zich een vogel waant. Een veertje. Een geur. Anderen zouden ons moeten zien zoals wij onszelf zien, in het welwillende licht van onze eigenliefde. Hij glimlacht. Hij voelt de woorden dringen en hun plaats innemen om de verandering van de wereld te tekenen. Hij ervaart een grote blijdschap. Hij vraagt zich af of het niet Jeanines broosheid is, meer nog dan haar wonderbaarlijke lichaam, die hem zo raakt.

De teerheid van een trillend blad,[9] schreef Follain. De teerheid van een trillend blad. Jouw ongelooflijke teerheid, Jeanine; die broosheid die in staat is om van PP een vriendelijke man te maken, elegant zelfs, in de beelden die zijn woorden oproepen, om Christiane Planchard en alle meisjes van de kapsalon sierlijk en licht te maken, als fladderende elfjes om je heen; die teerheid die troost biedt; jij bent iemand die ontroert, die niemand onberoerd laat, 'echte schoonheid is verontrustend,' fluisterde Chantal, het shampoomeisje bij de kapper, toen jij je korte haar ontdekte en bijna wilde huilen, iemand die anderen verdraagzamer maakt ook; het shampoomeisje zei nog 'maar schoonheid is ook gevaarlijk, omdat het juist alles aantrekt wat het kan vernietigen', en ik begreep dat jouw teerheid zowel goed als kwaad kon doen, als een wapen, als verkeerd gemonteerde woorden, zoals vanavond bij de benzinepomp, toen die ordinaire, weerzinwekkende klootzak, met zijn verlopen lichaam en de rouwranden aan zijn nagels, tegen je praatte alsof je een hoer was, omdat zoveel kerels denken dat een vrouw met een grote boezem altijd een hoer is.

Arthur Dreyfuss was bijna op de vuist gegaan met die weerzinwekkende klootzak, maar Jeanine Foucamprez had hem ervan weerhouden met een 'laat hem, je maakt je handen nog vuil,' en die reactie had Arthur Dreyfuss getroffen. Hij had gevoeld dat hij belangrijk voor haar was. En dat was misschien nog wel het meest verontrustende.

Met Scarlett Johansson aan je arm, enfin, Jeanine Foucamprez, was je niet meer dezelfde man. Je was van haar. Je was *haar* man. En vrouwen en mannen bekeken je, soms vriendelijk, vaak afkeurend, en vroegen zich af, waarom *jij*, wat is er zo anders aan jou; wat heb jij wel, dat zij niet hebben.

En als ze eindelijk het antwoord vonden, werden ze daar ongelukkig van, en soms gemeen.

Ze voelden zich beroofd.

Arthur Dreyfuss viel op de bank in slaap op het moment dat Jeanine Foucamprez naar beneden kwam. Buiten brak de vijfde dag van hun leven aan.

Jeanine Foucamprez raapte de deken op die van de bank was gegleden en bedekte het lichaam van de automonteur, behoedzaam, zoals moeders dat doen, en ze huiverde bij de gedachte dat haar moeder haar sinds haar negende jaar, de badkuip en dat varken van een fotograaf nooit meer had omhelsd of verwarmd. Dat ze nooit meer in haar armen had gehuild, nooit meer een klein meisje was geweest.

Ze zette water op voor de Ricoré (ze hadden nog geen echte koffie gekocht, nog geen boodschappen gedaan zoals dat hoort voor een huis waarin je samen woont), toen de chicorei klaar was doopte ze er twee beschuitjes in (zonder jam of boter, om voornoemde reden en omdat een jongen van twintig culinair gezien niet noodzakelijkerwijs zijn eigen beste vriend is).

Daarna keek ze naar hem.

Sinds de dag waarop de melktank was omgevallen en de A16 met een wit tapijt had bekleed, waardoor de buschauffeur van de Pronuptia-tournee zich gedwongen zag tot een omweg die helemaal naar Long leidde, naar haar lotsbestemming, was Jeanine Foucamprez verliefd op hem, en had ze heimwee naar de lach van dat kind.

Zodra ze hem had gezien had ze van alles aan hem gehouden. Van zijn houding, zijn slungelige lichaam dat verdronk in zijn overall, zijn handen zwart van olie, als glimmende, leren handschoenen, sterke handen, dacht ze (hij was niet voor niets de zoon van de stropende boswachter, de plunderende visser), zijn knappe gezicht, zo mooi, bijna vrouwelijk soms, en onbezoedeld door enige arrogantie: hij leek zelf niet te weten dat hij knap was; zijn argeloosheid; ja, ze had zich dom gevoeld die dag, het meisje dat het einde van het einde van de wereld had bereikt (*pro memori*: Long, 687 inwoners, Picardische gemeente van negen komma negentien vierkante kilometer behorende tot het kanton van Crécy-en-Ponthieu, waar op 26 augustus 1346 de beroemde slag van Crécy plaatsvond, een authentieke slachtpartij, duizenden Franse doden onder de pijlen van de boogschutters van Edward de Derde, en dat was het wel zo ongeveer); dat eindpunt waar ze, met een beetje geluk, eindelijk zou kunnen verdwijnen, met een lieve jongen (een echte, bezegeld door de lach van het kind), en Scarlett Johansson kon vergeten, de wreedheid van mannen kon vergeten, de lafheid van mannen, de onzedelijke voorstellen.

Het lichaam vergeten dat de cameralens het kind had ontnomen. De onzedigheid. De foto's van dichtbij. Het geslacht, de ultradunne snede, als een haar. Het verraad van de mensen die van je horen te houden. De verlatenheid, de afschuw. Ik heb je gehaat al die jaren, mama. Ik heb je zwijgen gehaat. Ik moest ervan braken. Me in mijn huid snijden. Mezelf pijn doen. Ik stak naalden in mijn lippen. Ik wilde mezelf tot zwijgen brengen. Net als jij. Ik heb gebeden dat hij je zou verlaten voor duizend sloeries van mijn leeftijd. Ik heb je dood gewenst, mama. Ik wilde dat je alleen zou zijn. Dat je lelijk zou zijn, en naar reuzel zou stinken. Zeg me dat je van me houdt, mama, al is het maar een heel klein beetje. Zeg me dat ik schoon ben. Dat ik een mooi leven zal hebben. Hier, pak mijn handen. Kijk. Ik heb de wals geleerd, de polka, de *carmagnole*, ik kan ze je leren, mama. Laten we samen dansen. Ik mis je kusjes. De klank van je stem.

De medicijnen vergeten die verdoven, die alles doen vervloeien. Het verlangen van zich afzetten om er een hele doos van te slikken om te kunnen slapen, zoals de mooie Marilyn Monroe, de verleidelijke Dorothy Dandridge. Slapen en dan daar ophouden, als de genade kwam. Verdund worden, als een aquarel. Flauwvallen, wegvliegen, vliegen tot ze de warme armen van de blonde brandweerman terugvond, ergens in de hemel, en eindelijk al haar tranen kon laten vloeien. Ik heb zoveel tranen dat ze wel een rivier zouden kunnen vullen. Genoeg water om alle branden ter wereld te doven, zodat jij niet verbrandt, lieve papa. Zodat jij niet sterft. Laat me niet ook in de steek, papa. Mannen zijn gemeen, gemeen, en om ze te laten verdwijnen, moet ik zelf verdwijnen. Ik moet mezelf pijn doen. Papa. Ik heb zo'n pijn.

En op een nacht aan het einde van alles, toen de dageraad onmogelijk leek, toen Céline Dion op de radio dat ontroerende lied zong – *Vole vole, petit aile/Ma douce, mon hirondelle/Va-t'en loin, va t'en sereine/Qu'ici rien ne te retienne/Rejoins le ciel et l'éther/Laisse-nous laisse la terre/Quitte manteau de misère/Change d'univers*[10] – braakte Jeanine Foucamprez de pillen uit die haar verstikten, het gif dat haar al meevoerde, slaperig en loom: acht gram Immenoctal, vijftig pillen Dramamine, volgens de recepten uit het verboden boek[11].

Ze braakte haar walging van alles uit, ze braakte de gruwel, de duisternis uit.

Een liedje had haar weerhouden. Een liedje had haar val gestuit en in die nacht had Jeanine Foucamprez haar redding gezien: daarheen terugkeren, naar die dag dat ze hem had gezien.

Haar engel.

De volgende avond kwam ze aan in Long. Om negentien

uur zevenenveertig precies klopte ze op de deur van Arthur Dreyfuss, uitgeput, met vet haar en blauwe kringen onder haar ogen. Maar niet dood.

JEANINE, SCARLETT EN ARTHUR

PP waarschuwde een paar minuten van tevoren per telefoon.

'De burgemeester! Hij kwam naar de garage met een journalist en een oud besje met het kapsel van Björk!'

(Waarschijnlijk die juffrouw Thiriard, wier zestigjarige pony verknipt was door de schaar van Christiane Planchard in haar schok over het onverwachte bezoek van de wereldberoemde actrice aan haar kleine kapsalon.)

'Ik heb ze verteld dat je wel thuis zou zijn, ze zijn allemaal op een holletje verdwenen, zelfs die ouwe taart; ze komen eraan, oké, ik moet gaan!'

Hij hing op; Arthur Dreyfuss trok een gezicht, Jeanine Foucamprez trok haar schouders op en zei, met een lieve glimlach, zo gaat het vaak. Ik maak mensen gek.

Er werd aan de deur geklopt. Laat mij maar Arthur, en ze ging opendoen.

Op de drempel stonden Gabriel Népile, burgemeester van Long (2008-2014), een journaliste van de *Courrier Picard* (rubriek plaatselijk nieuws, Amiens en omgeving), en juffrouw Thiriard, gepensioneerd lerares Engels; alle drie met hun mond half open, als een kippenkontje (maar dan wel een dikke kont, een Kont met een hoofdletter) toen ze Scarlett Johansson zagen staan, subliem in haar herenoverhemd – van Arthur Dreyfuss – met blote, gladde, sierlijke benen, hoge, glanzende jukbeenderen, een kom Ricoré in de hand. *Hello,* zei ze in perfect Engels. De oude stem van juffrouw Thiriard liet zich horen: ze zegt ons *gedag*. Zoiets vermoedden we al, prevelde de burgemeester. *What can I do for you?* vroeg de donkere, als blondine beter bekende beroemdheid. Mlle Thiriard tolkte opnieuw: ze vraagt *wat ze voor ons kan doen*.

(Vanaf hier, en om een slaapverwekkende tweetalige versie van de hierop volgende discussie te vermijden, geven we vragen en antwoorden alleen nog vertaald weer.)

'Mag ik me even voorstellen, ik ben Gabriel Népile, burgemeester van deze gemeente, en het is een eer om u bij ons te mogen verwelkomen.'

'O, dank wel u.'

'Dit is mevrouw Rigodin, plaatselijk journalist, en juffrouw Thiriard, onze tolk.'

'Het is een genoegen om te zien u.'

'Misschien wilt u zo vriendelijk zijn om een paar vragen van mevrouw Rigodin te beantwoorden?'

'Met het plezier.'

'Mevrouw Scarlett Johansson, bent u in Long voor een persoonlijk bezoek of ter voorbereiding op een film?'

'Ik bezoek Arthur, mijn vriend.'

'Ah. U bedoelt dat meneer Dreyfuss, onze leerling-monteur, uw vriend is.'

'Vertaalt uw tolk mijn antwoorden?'

'Bedoelt u uw jongen-vriend?'

'Ik ben gehuwelijkt.'

'Met meneer Reynolds, dat weten we. Goed, goed. Dus meneer Dreyfuss is niet uw jongen-vriend. Wat zijn uw filmprojecten?'

'*We Bought a Zoo* van Cameron Crowe, en *De Wrekers* van Joss Whedom. In de film van Cameron zal ik trouwens zingen.'

'Interessant.'

'En ik ben bezig met de derde cd, misschien niet met Pete Yorn deze keer. En als u alles wilt weten, ik recycle mijn afval. Ik probeer biologisch te eten, maar ik ben daar niet convulsief (?) in. Ik ben niet in verwachting. Naar mijn mening moet ik twee kilo afvallen. Ik scheer mijn schaamhaar niet omdat ik dat iets voor pornosterren vind, zonder haartje is het net een biefstuk, jasses, en omdat ik die dos (of *bos* – de tolk aarzelde) van Maria Schneider heel mooi vond in *Last Tango in Paris* en... O, uw hele gezicht heeft rood.'

'Aha? Eh... ik, ik... Wat waardeert u het meest in onze gemeente?'

'De garage van de auto's. En de Arthur.'

'Blijft u lang bij ons?'

'Ik moet op 22 september in Los Angeles zijn.'

'Dank u wel. Ik geloof niet dat ik nog meer vragen heb, burgemeester.'

'Mevrouw Johansson, zou u bereid zijn om even mee te werken aan een videofilmpje over onze mooie gemeente, een wandelingetje door het dorp, samen met ons, voor de website van het stadhuis? We zouden het mooie kasteel van onze Lodewijk de Vijfde kunnen bekijken, onze waterkrachtcentrale, langs de plassen, vennen...'

'Waarom nee?'

'Inderdaad. En een paar fotootjes voor het gemeenteblad?'

'Oké, als nu.'

'Als nu?'

'Heeft u niet de iPhone?'

'Ah, nee.'

'Ik heb een Sony Ericsson die foto's maakt!'

'Ericsson-Johansson, leve Zweden!'

'Ik ben van Deense afkomst.'

'Eh, pardon. Het spijt me. Dank u wel, mevrouw Rigodin. Hier, ik ga naast mevrouw Johansson staan, dat wil zeggen, eh, mevrouw Reynolds... neem de foto maar, alstublieft. Sta ik er goed op?'

'Wilt u de kom niet even neerzetten?'

'Ik ben dol op de Ricoré van de Arthur.'

'Zeg eens "kaas".'

'Mevrouw Thiriard!'

'U heeft me laten komen om te tolken, dus ik tolk.'

'Kaas.'

'Zo, zo. Fijn dank u wel, Scarlett, neem ons niet kwalijk dat we u gestoord hebben, maar het gebeurt niet elke dag weet u, het is zelfs de eerste keer dat wij een ster in ons dorp hebben...'

'In het dode gat.'

'Hm. We hebben Daniel Guichard gehad in 1975...'

'Ik bedoel een echte ster, mejuffrouw Thiriard, internationaal, met Oscars... goed, u begrijpt me wel. Bravo Arthur, dat is een erg mooie vriendin die je daar hebt, een heel mooie vrouw, je bent een geluksvogel, vertaal dat maar niet, Ginette (Thiriard, *noot van de redactie),* kom eens langs op het gemeentehuis zodra je even tijd hebt.'

'Bel mij ook even op de krant, Arthur, hier is mijn kaartje.'

Toen het trio zich had verwijderd schaterden Jeanine Foucamprez en Arthur Dreyfuss van het lachen; een lach met muziek erin, de geur van stoute kinderen; een van die uitbarstingen van vreugde om onbeduidende kwajongensstreken, die het cement zijn van een gelukkige jeugd.

Het was mooi weer die vijfde dag, wat een zekere jubelstemming teweegbracht bij Jeanine Foucamprez: ze had zin om uit te gaan, ergens heen, ergens waar niemand anders is dan jij, Arthur, en vooral, vooral geen Scarlett Johansson.

Een minuut of tien later zaten ze in *het vervangend vervoer*. Arthur reed naar het zuidoosten, een kleine honderd kilometer. In de auto luisterden ze naar de radio, zongen soms mee met liedjes die ze kenden. 'Heb jij al eens een *playlist* voor iemand gemaakt?' vroeg Jeanine Foucamprez. Nee. Ik zal er eentje voor je maken, Arthur, helemaal alleen voor jou. Dat wordt de playlist van de mooiste vrouw ter wereld, dat wil zeggen van mij! En ze lachte om haar eigen grapje; ze wilde eindelijk de goede kant op vallen, de kant van het geluk, maar in haar lach hoorde Arthur Dreyfuss een enkele hese noot van verdriet.

Tegen halftwaalf bereikten ze Saint-Saëns (Seine-Maritime), parkeerden het Hondaatje aan de zoom van het immense staatsbos van Eawy, en liepen er binnen.

In de schaduw van de hoge beukenbomen – sommige stammen waren meer dan dertig meter hoog – was de lucht frisser; ze gingen dichter bij elkaar lopen, hun vingers raakten elkaar, verstrengelden zich, en zo liepen ze hand in hand.

Jeanine Foucamprez bekeek hem een poosje. Hier straalden zijn ogen, zijn slungelige lichaam leek lichter, alsof hij een danser was; ze vond dat hij zich even sierlijk over de dode bladeren bewoog als een wants over het water. Hier verdwenen zijn broosheden en zijn angsten; hier, *onder zijn al sterke arm/zonder een blik voor de bomen/klemde hij verwoed/de vormen van de hele wereld.* In dit bos is mijn vader verdwenen, een tijdje nadat de hond Noiya had verslonden. 's Avonds uit school kwam ik hier altijd langs. Ik wachtte op hem. Hij zou terugkomen, je laat je kind toch niet zomaar in de steek, niet het enige kind dat je nog hebt. Ik wachtte op hem. Ik wachtte hier die avond dat zijn verdriet *zich verloor in het licht*, dat het spoorloos verdween *in het snikken van de wind.*[12] Vreugde moet toch overwinnen. Jeanine drukte zich dicht tegen hem aan, als een schaduw. Nee; er bestaat ontroostbaar verdriet. Hier herinner ik me hem het beste. Hier praatte hij, hij prevelde tegen de boomstammen. Hij vertelde me over het bos. Vroeger was dit een reusachtig eikenbos, maar in de oorlog is het gescalpeerd, geschoren door de bommen, en daarna hebben de mensen beuken geplant die sneller groeien, omdat ze bang zijn voor de leegte en de kaalslag die herinneren aan schaamte en verraad. Aan al onze nederlagen. Jeanine rilde even, ook al hielden hun lichamen elkaar warm. Ze werd getroffen door de woorden van de automonteur, onverwacht, als door melodieuze tonen die een klein kind ineens uit een viool haalt. Hij leerde me de berken herkennen, de haagbeuken, de esdoorns, de gewone es. Ik had een voorkeur voor de zoete kersenboom, omdat die hier de vogelkers wordt genoemd. Die hebben zoveel licht nodig dat ze sneller groeien dan alle andere. Net als jij, Jeanine; net als ik, ook. Ze huiverde. Ik wachtte op mijn vader met mijn blik omhoog gericht. Ik was ervan overtuigd dat hij in een boom was geklommen, net als in de baron in de bomen. De wat? vroeg ze. Dat is een boek waarin een kleine Italiaanse baron van twaalf besluit om in een boom te gaan wonen. Ze glimlachten allebei; ze waren weer terug in die tijd van vooraleer, die Paulhan zo mooi samenvat in de titel van een van zijn romans: *Vrij trage vorderingen in de liefde*. Ik dacht dat jouw vader dood was, Arthur; dat dacht ik. Dat weet ik niet, Jeanine. Misschien. Is iemand wel dood als er geen lijk is?

Jeanine Foucamprez kwam tegenover Arthur staan en streelde met haar koude hand zijn mooie gezicht, streelde de nevel die tussen zijn lippen vandaan kwam, streelde het oneindig geringe dat hen nog scheidde; ze kusten elkaar niet, het was allemaal volmaakt zonder kus. Daarna legde ze haar hoofd tegen zijn schouder en liepen ze samen door de indrukwekkende Allée des Limousins, verdwenen in de vochtige schaduwen van het bos; ze liepen langzaam, een beetje struikelend vanwege hun verschil in lengte, maar ook omdat het nooit gemakkelijk is om helemaal synchroon te lopen in het begin van een liefdesverhouding. Je moet leren luisteren, niet alleen naar haar woorden, maar naar haar lichaam, haar snelheid, haar kracht, haar zwakheid en haar stiltes die verwarren; je moet iets van jezelf verliezen om je in de ander terug te vinden.

In *Summer of 42* speelt een jongen van vijftien of zestien die Hermie heet; het verhaal speelt zich af in New England en het is zomer. Hij ontmoet een vrouw, haar man is weg, die vecht in de oorlog – ik ga huilen Arthur, de arm van de automonteur klemt haar steviger vast, *verwoed* – hij probeert haar te verleiden ook al is ze twee keer zo oud als hij – Jeanine haalt voorzichtig haar neus op – ook al is ze heel verliefd op haar man. Aan het eind krijgt ze een telegram dat – ja, daar gaan we, de eerste traan komt tevoorschijn, ik ben zo'n tut – waarin staat dat haar man... dood is – Arthurs hand knijpt nu de hare zachtjes fijn, knijpt in haar woorden zodat ze hem niet meer zal onderbreken – dus... dus vrijt ze met de jongen – het is zo mooi, zo mooi, Arthur, het is... – en dan is er die ongelooflijke muziek, een *lento* op precies dezelfde snelheid als een kloppend hart. Als de dag aanbreekt is ze verdwenen. Ze heeft een paar woorden achtergelaten op een vel papier. Ze zullen elkaar nooit terugzien. Arthurs vingers, waarvan het vlees verbazend zacht is ondanks het gereedschap en de motoren, vegen de tranen van het mooiste meisje ter wereld weg; zijn vingers trillen.

'Waarom is geluk altijd zo droevig?' vroeg hij.

'Omdat het nooit beklijft, misschien.'

Ze keren terug naar *het vervangend vervoer* (ze zijn niemand tegengekomen, daarstraks niet en nu ook niet, en daar is Arthur trots op, ze had immers gevraagd om een plek zonder Scarlett Johansson), zijn mobiel rinkelt en hij twijfelt of hij op zal nemen vanwege de diepe, betoverende schoonheid van het moment, vanwege de nabijheid misschien van zijn vader, maar omdat hij nooit gebeld wordt, voorvoelt hij iets belangrijks. Pardon, Jeanine. Hallo?

Het is de hoofdverpleegster van de kliniek van Abbeville.

'Uw moeder heeft haar linkeronderarm opgegeten en vraagt om Elizabeth Taylor.'

'Autofagie,' zegt de verpleegster drie kwartier later in de gang waar ze hen ontvangt – een ziekenhuisgang zoals we die allemaal kennen: neonlampen, groenige gezichten, slecht nieuws, en soms een glimlach op een uitgeput gezicht, een gelukje, een paar maanden extra, het verlangen om de hele wereld te omhelzen – de arts heeft haar gezien, hij vermoedt dementie, we wachten de resultaten van de onderzoeken af, maar het gewicht van haar hersenen is al sterk afgenomen.

Arthur Dreyfuss wilde huilen.

Hij besefte dat hij zijn moeder niet kende, die oude vrouw van zesenveertig met de verdwenen tanden die haar onderarm opat zoals een dobermann haar dochter had verslonden; hij wist niets van haar: hield ze van Mozart, The Beatles, Hughes Aufray, had ze liever wijn uit Zwitserland of uit de Savoye of Bourgogne, had ze allergieën, had ze de mazelen gehad, had ze willen sterven van liefde, van eenzaamheid, had ze *De baron in de bomen* gelezen, de *Summer of 42* gezien, of *La demoiselle d'Avignon*, of *Angelique, marquise des anges;* wie had ze willen zijn, Marthe Keller of Michèle Mercier, vrijde ze graag, zag ze graag vliegtuigen neerstorten aan de voeten van Roger Gicquel, hield ze van Pierre Lescure, Harry Roselmack, van salade niçoise, van gerookte zalm in bladerdeeg van diepvriesboer Picard, van *kalb el louz* (gebak van griesmeel, amandelen en honing), hield ze van de liedjes van Michel Sardou, van Jacques

Dutronc, *et moi et moi et moi*, hield ze van mij? Onderweg naar de kamer waar ze lag werd Arthur Dreyfuss zich ervan bewust dat hij haar al bij leven verloren had, dat hij haar had laten afdrijven op de stroom van haar tranen (en de vermout), dat zijn onbeholpen, vage kinderliefde de leegte niet had kunnen vullen die Noiya bij haar dood had achtergelaten, Noiya, *Schoonheid van God*. Ineens voelde hij de voor altijd verloren jaren, de woorden, de gebaren, de oneindige tederheid, alles wat kan redden van een ramp. Jarenlang had Arthur Dreyfuss op zijn vader gewacht, zijn blik op de kruin van de bomen, zonder te merken dat zijn moeder op datzelfde moment wegsmolt aan zijn voeten; dus ja, hij begon te huilen, grote, dikke tranen, als van een kind dat ineens het bewustzijn verwerft, ook al had Jeanine Foucamprez hem eerder die ochtend toegefluisterd dat niets ooit beklijft: een moeder, een vader, en de verschrikkelijke teerheid van alles.

Hij aarzelde, Jeanine Foucamprez pakte zijn hand en trok hem de kamer binnen, alsof ze een kerk in liepen, en hun hart bonsde: Lecardonnel Thérèse lag aan haar bed vastgebonden. Haar linkerarm was helemaal omzwachteld – later zouden ze moeten transplanteren, had de verpleegster gezegd, en als dat niet aansloeg amputeren, een prothese plaatsen, revalideren. Bij haar neus ging een buisje naar binnen, een ander stak uit haar rechterarm. De monitor naast haar stootte regelmatige geluiden uit, dreigend en geruststellend tegelijk, en op haar gezicht, onder haar huid, zo broos en delicaat als kanten handwerk, zweemde dat van de grijnzende dood.

'Ik laat jullie even alleen,' zei de verpleegster. 'Bij het minste probleem kunt u op die knop daar drukken, dan komt er meteen iemand.'

Ze verliet de kamer. Jeanine Foucamprez wendde zich tot

Arthur Dreyfuss, praat tegen haar, Arthur, het is je moeder, ze hoort je, ze heeft je woorden nodig, net als daarstraks, in het bos – ik heb geen woorden voor haar Jeanine, ik heb geen woorden, ik ben doodsbang. Waarop zij, met dat comfortabele en zeldzaam prachtige lichaam dat harten en hoofden op hol bracht en de wereld deed duizelen, dat lichaam dat als een magneet het ergste en het beste aantrok, naar het bed liep, naar het roerloze, treurige, stervende lichaam, het afgeleefde vlees, en haar aardbeirode lippen opende: 'Ik ben Elizabeth Taylor, mevrouw. Ik ben uw vriendin en ook de vriendin van Arthur. Arthur, uw zoon. Hij is hier, samen met mij. Ik ben u komen zeggen dat hij van u houdt, met heel zijn hart, met al zijn kracht, maar u weet evengoed als ik hoe jongens zijn. Zulke dingen durven ze niet te zeggen. Dat vinden ze niet mannelijk. Maar tegen mij, dat zweer ik u, heeft hij het gezegd; Elizabeth, ik moet je iets vertellen: ik houd van mijn moeder en ik mis haar, ik begrijp haar pijn en haar verdriet maar ik weet niet wat ik moet doen, Elizabeth, dat is me nooit geleerd, ik zou haar willen zeggen dat ik Noiya net zo goed mis, dat ik haar net als mijn moeder nog hoorde lachen in haar kamertje, dat ik me voorstelde hoe ze opgroeide en mooie rijmpjes schreef voor Moederdag en op een dag een knappe verloofde mee naar huis bracht; ik zou mijn moeder willen vertellen dat ik gehuild heb toen papa wegging en dat ik, net als zij, nog steeds op hem wacht en dat hij maar niet terugkomt, dat komt omdat wij hem moeten gaan zoeken, we moeten zijn boom vinden, papa woont nu in een boom, Elizabeth, hij wacht op ons, zodat we allemaal gelukkig kunnen zijn, met Noiya die bij hem is, op een mooie tak waaraan roze bloemen bloeien, met de kleur van blozende wangen; we moeten vooral niet verdrietig zijn. Dat zei uw zoon Arthur, mevrouw, tegen mij,

Elizabeth Taylor, die ook van u houdt en diepbedroefd is dat ze u niet eerder heeft leren kennen. Want ik heb ook verdriet en helse pijnen gekend. Zodra u beter bent gaan we daarover praten, dan gaan we samen wachten op iedereen die we zo missen. Wilt u dat wel?'

Arthur Dreyfuss meende te zien dat er aan de hand die nog zwakjes verbonden was met de linkeronderarm van zijn moeder een vinger bewoog, maar hij had er niet op durven zweren.

Kinderliefde is angstaanjagend, omdat het afscheid onontkoombaar is.

Ze dronken koffie in de cafetaria van de kliniek, tussen de tegenspoed, kleine meisjes in vormeloze lila trainingspakken van GO Sport die lachten in onwetendheid, vaders die beefden van de cafeïne, van gebrek aan nicotine en van liefde.

Ze keken elkaar zwijgend aan en Arthur Dreyfuss vroeg zich af waarom er in het echte leven niet ineens muziek klonk, net als in de film, muziek die alles met zich meesleepte, alle gevoelens, alle terughoudendheid, alle schroom, en als dan in de cafetaria van dit ziekenhuis de soundtrack van de *Summer of 42* had geklonken (Michel Legrand) of *Poland* (Ólafur Arnalds) of die goeie ouwe Leonard Cohen, dan had hij zich op zijn beurt kunnen laten meeslepen en de woorden durven uitspreken, ik houd van jou durven zeggen, en dan zou zij zijn hand pakken en hem kussen en haar ogen zouden stralen en angstig zou ze hebben gefluisterd, weet je het zeker? Weet je zeker dat ik het ben? En dan was hij verdergegaan met ja, ja, ik weet het zeker, ik houd van je, Elizabeth Taylor, om alles wat je net tegen mijn moeder zei, ik houd van jou, Jeanine Foucamprez, om alles wat je bent, om je zachtheid, je angsten en je schoonheid. Ik houd van jou, Jeanine. Jammer genoeg kent het leven geen muziek zoals de film, het kent alleen lawaai, geluiden, woorden, het ge*kling* van de koffiemachines, het *prrrt-grr-prrrt-grr* van de wieltjes van de brancards, en de tranen, de kreten soms, die eraan herinneren dat het allemaal afschuwelijk echt is, vooral in een ziekenhuis waar gekken, noodgevallen en angsten elkaar kruisen, waar het afscheid eindeloos duurt en

(...) van tijd tot tijd is er een schaduw/een borst die zich laat horen/een onverklaarde pijn/een ijle geur van eeuwigheid.[13]

Ze keken elkaar zwijgend aan en ondanks het gebrek aan muziek nam Arthur Dreyfuss de hand van Jeanine Foucamprez in de zijne, bracht die naar zijn lippen, drukte er een kus op; hij waagde het zelfs een paar millimeter tong uit te steken om haar huid te proeven; ze smaakte geurig en zoet – *You can leave your hat on* zou prachtig geweest zijn voor dat moment – en hij begon in zijn verbeelding dat hele lichaam af te likken, alle bergen, dalen, valleien en watervallen. Bij de aanraking van zijn tong slaakte Jeanine Foucamprez een verrukt lachje en ze trok haar hand niet terug, en zonder een woord en zonder Joe Cocker, tussen werkelijkheid en ether, ver verwijderd van de poëzie, proefden die twee woorden van liefde.

'Neem me niet kwalijk, pardon, bent u Izzie Stevens?'

De stem die zich verontschuldigde, behoorde aan een patiente van het ziekenhuis, rond de zestig jaar oud, in een duster; ze droeg de simpele, kwijlende glimlach van sommige kinderen. 'Bent u Izzie Stevens? Dus u bent niet dood? O, wat ben ik daar blij om...'

(Om de onwaarschijnlijkheid van die reactie te begrijpen moet u weten dat Izzie Stevens een personage is in de Amerikaanse serie *Grey's Anatomy*, gespeeld door de actrice Katherine Heigl, verkozen tot meest opwindende blondine van het jaar – in 2007 – door *Vanity Fair*; een actrice met zogeheten perfecte maten, 90-65-90, en qua voorkomen, in elk geval in de ogen van een vrouw van zestig jaar oud, waarvan ze er waarschijnlijk twintig voor de televisie van het ziekenhuis had doorgebracht, vergelijkbaar met Scarlett Johansson. In seizoen vijf van de serie wordt Izzie Stevens, die een hersentumor heeft, voor dood achtergelaten.)

'Dus u bent niet dood?'

Het duurde even voordat Jeanine Foucamprez het begreep en bevestigde van niet: nee, ik ben niet dood. Waarop de vrouw in de duster luidkeels begon te schreeuwen: 'U bent het niet, dat is uw stem niet! Niet uw stem! U bent een spook! U bent dood!' en in een drafje op de vlucht sloeg. (Inderdaad behoort de stem van Katherine Heigl in de Franse, nagesynchroniseerde versie van *Grey's Anatomy* aan de actrice Charlotte Martin, en niet aan Jeanine Foucamprez). Arthur Dreyfuss glimlachte; Jeanine Foucamprez haalde haar schouders op en keek bedrukt, ik heb al van alles meegemaakt, Arthur, van alles, Uma Thurman, Sharon Stone, Farrah Fawcette, vooral toen die vorig jaar doodging, Catherine Deneuve, Isabelle Carré, en zelfs Claire Chazal, en net als jij met je moeder zou ik zo ontzettend graag willen dat er ooit eens iemand naar me toekomt die tegen me zegt, bent u Jeanine? Jeanine Foucamprez? O, wat bent u mooi.

'Bent u Jeanine? Jeanine Foucamprez? O, wat bent u mooi.'

Daarop schonk de mooie Jeanine Foucamprez hem een glimlach die even mooi was als die van Scarlett Johansson op het Spaanse affiche van *The Nanny Diaries* (*O Diario de uma baba*); ze stond op, liep om de formicatafel heen en kwam voor de tweede keer de mond van Arthur Dreyfuss kussen – verborgen achter de maaltijdtrolley stond de onnozele groupie van Izzie Stevens zwijgend te klappen, met een stralende glimlach waarop haar kwijl als gloss fungeerde, eindeloos gelukkig; het was een hartstochtelijke, machtige, elektrische kus; een kus vol leven, midden tussen alle pijn en angst.

Ze reden weg nadat de arts het kwaad had bevestigd: toename van hersenvocht, verlies van Purkinjecellen, centrale pontiene myelinolyse, vermindering van cognitieve faciliteiten, en hersenveroudering – Lecardonnel Thérèse ging onafwendbaar ten onder aan krankzinnigheid, en omdat Arthur Dreyfuss zo beefde, benadrukte hij nog eens dat er niets aan te doen was, zelfs al zou zijn zusje Noiya vandaag nog ongeschonden terugkeren, niets kon zijn moeder nog ontrukken aan het drijfzand dat haar verslond en verteerde. Toen begreep Arthur dat hij nu een weeskind was. Ook al was het lichaam van de stroper nooit gevonden; hij was misschien verdwenen in de kuil in het bed van een vrouw, werd nachtelijk gesmoord in weelderige armen, onder een brede, warme kont om bij dag en dauw herboren op te staan, of misschien rotte zijn lichaam ergens weg, verteerde diep in het moeras van Condé of hing aan de hoogste tak van een beuk in het woud van Eawy - zijn wangen aan flarden gereten, zijn ogen uitgepikt, twee knikkers in de snavel van een kraai – boven het glooiende dal van de Varenne. Een weeskind.

Aan het eind van de namiddag waren ze weer in Long; de voorlaatste dag.

Toen ze langs de garage reden wenkte PP hen te stoppen. Zo tortelduifjes, zei hij lachend (maar naar Arthur kijkend), nog steeds *op vakantie*? Dat komt goed uit, Julie (de derde vrouw van PP) stelt voor om bij ons thuis te barbecueën als jullie daar zin in hebben, alleen jullie en haar zus, meer niet. Zij houdt veel van film, dan kan ze met Angelina praten; wat zeg je ervan, Arthur? Arthur Dreyfuss wendde zich naar zijn mooie buurvrouw, die geamuseerd knikte.

De zus, Valérie, kreeg in de jaren negentig acteerneigingen en schreef zich in voor de toneellessen van Théâtre 80 in Amiens, een school die zich liet voorstaan op 'een collectieve en individuele studie van het schrijven en de *mise-en-espace*', naast het traditionele werk aan stem, ademhaling en lichaamshouding. Tijdens de eindejaarsvoorstelling raakte ze ten overstaan van zevenendertig mensen haar stem kwijt van de plankenkoorts; ze gaf de brui aan Hollywood en vond een baan als verkoopster bij Nord Textile, waar haar lichaamshouding en ademhalingstechniek wonderen deden op de afdeling lingerie.

Ze waren er om halfacht; PP was er niet, hij is hout gaan halen bij de Super U in Flixecourt, verontschuldigde Julie hem, hij zal zo wel komen; ze brachten een fles champagne mee, demi-sec, L.Bernard Pitois, warm, de enige die ze hadden kunnen vinden bij Tonnelier en zodra ze de tuin in liepen, riep Valérie (zie boven): 'Maar dat is Angelina Jolie helemaal niet, PP, je kletst maar wat, dat is Reese Witherspoon, oh la la, wat is ze mooi! O mijn hemel! Kunt u me verstaan?'

Reese Witherspoon lachte en haar lach was charmant, luchtig. 'Ja, Valérie,' zei ze, 'ik kan je verstaan, en het spijt me oprecht dat ik je teleur moet stellen, maar ik ben Reese Witherspoon niet, en net zo min Angelina Jolie, en al evenmin Scarlett Johansson, al weet ik dat we als twee druppels water op elkaar lijken.'

Valérie zette haar glas neer omdat ze aanvoelde dat dit een belangrijk moment was, omdat ze zich een beetje schaamde voor haar blunder.

'Ik heet Jeanine Foucamprez. Ik ben zesentwintig. Ik ben geboren in Dury, op een paar kilometer van Amiens. Het is een dorp vol bloemen, met mooie wandelpaden en een paardrijvereniging. Ik heb mijn vader, die brandweerman was, niet gekend, want hij is verbrand en gestorven voor mijn geboorte. Bij het redden van een oud dametje. Hij heeft me maar één ding nagelaten. Dit gezicht. Mijn moeder zei dat ik een wolk van een baby was. En een beeldschoon meisje. De burgemeester van Dury wilde een Missverkiezing organiseren, speciaal voor mij. Een beeldschoon meisje. Dat leverde me problemen op met mijn stiefvader. Nare dingen. Dingen waardoor je wilt verdwijnen. Zoals Jean Seberg in haar auto. Daarna heeft mijn moeder me nooit meer mooi gevonden. Nooit meer tegen me gesproken. Ik weet niet wat er van haar is geworden. Ik heb bij mijn tante gewoond. Zeven jaar geleden heeft iedereen mijn gezicht ontdekt in *Lost in Translation.* Sinds de dag dat die film uitkwam, 29 augustus 2003, haat ik mijn gezicht. Ik haat het elk moment, elke seconde. Elke keer als een meisje me minachtend aankijkt en zich afvraagt wat ik heb dat zij niet heeft. Elke keer als een vent me schuin aankijkt en ik me afvraag of hij me gaat aanspreken of aanraken, of hij een stanleymes gaat trekken, of hij een pijpbeurt gaat eisen of gewoon een handtekening wil. Misschien alleen een kop koffie. Alleen maar een kop koffie. Maar dat gebeurt nooit. Hij kijkt immers niet naar mij. Ik ben het niet die hij mooi vindt. Ik ben het niet.

Mijn lichaam is mijn gevangenis. Ik zal er nooit levend aan ontkomen.'

Jeanine Foucamprez sloeg even haar ogen neer; Valérie wilde haar omhelzen, maar ze durfde niet, het is zoiets moeilijks, andermans pijn. Ze stak net haar hand uit naar Arthur Dreyfuss op het moment dat PP terugkwam met glimmende ogen en een net vol aanmaakhoutjes. Hij zag Arthur naar de actrice toelopen en haar hand pakken en hij hoorde haar wat schorre stem zeggen: 'Arthur heeft een heel groot talent. Hij weet het zelf niet, maar hij kan alles repareren wat gebroken is.'

Hun emotie dwong een stilte af; onder het geknisper van de karbonaadjes waarvan al ruim een minuut lang een dikke zwarte rook opsteeg, probeerde PP maar eens iets, omdat hij niets begreep van de intensiteit van het moment, een grapje om terug te keren tot het zachte geweld van de werkelijkheid: 'Alles wat hij weet, heb ik hem geleerd!'

'Jij bent nog stommer dan stom,' prevelde Julie (zijn derde vrouw).

SCARLETT OF JEANINE

Ze gingen te voet naar huis, door de ontnuchterende frisheid van de nacht.

Na die ontboezeming, het elegant verwoorde verdriet van Jeanine, ex-Reese Witherspoon, hadden ze over allerlei andere dingen gepraat. Een beetje politiek natuurlijk: over Sarkozy, ik begrijp niet wat de vrouwen in hem zien, had Julie gezegd, die zelf heel mooi was, alles is klein aan hem, een echte minkukel, het schijnt dat hij met hakken en inlegzolen in zijn schoenen zeven centimeter groter wordt; PP, die stevig van start was gegaan met de aperitiefjes, merkte op dat zijn bijnaam Napoleon was en dat Strauss-Kahn hem er over twee jaar sowieso van langs zou geven, een *flinke beurt* zou geven zelfs (een vermakelijke opmerking vóór de vermeend onschuldige en vervolgens witgewassen schuldige, de bereidwillige penis recht overeind in suite 2806 van het Sofitel in New York in mei 2011, de cel op Rikers Island, het schandaal van de hoertjes in het Carlton van Lille, de maîtresses, de handel, de libertijnen, vóór Dodo la Saumure, Eiffage, de arme Tristane Banon, de geile aap en ander 'misplaatst gedrag'; de menselijke platheid; de magnifieke, miserabele afgang; het opgeblazen gezicht tenslotte van de deerniswekkend bedrogen echtgenote; de scheiding). En toen had iedereen zin om het ergens anders over te hebben dan over al die arme sukkels. Allemaal eikels. Allemaal hetzelfde. Je zou er Le Pen van gaan stemmen.

Julie vertelde dat de stagiair van Tonnelier Christiane Planchard uit de Ibis van Abbeville had zien komen met een zonnebril op en een lange, behaarde donkere vent, wat PP ontlokte (vijfde aperitief) dat hij, als hij niet met zijn vrouw was geweest – en ik ben met jou, Julie, geloof me, ik ben met jou – best even had gewild (lees: had willen neuken) met de kapster Planchard vanwege iets ordinairs aan haar dat hij wel leuk vond, het woord lag hem trouwens op de tong, ah verdorie, ik heb het daar, daar, op het puntje, en daarop kneep Julie hem in zijn arm; haar lange nagels als een slangenbeet. Valérie begon over film (vanzelfsprekend, als voormalig aspirant-actrice) – dat is het, aspirant! riep PP uit, dat is het woord dat ik zocht, aspireren, het is haar mond die ordinair is, van die Planchard, een bijouterie voor verwennerij, een lange koker, oh la la – en weer een slangenbeet; op de biceps van de garagist voor alle merken parelt bloed. Valérie had *Avatar* al drie keer gezien en voor haar was het een absoluut meesterwerk, ab-so-luut, belangrijker, onsterfelijker dan *La Grande Vadrouille*, het meesterwerk van de afgelopen twintig eeuwen, maar dat heeft toch niets te maken met *La Grande Vadrouille,* zei haar zus, *onzin!* riep PP uit, intussen ernstig aangetast door de alcohol, je kunt die twee malloten toch niet met die blauwe mensen vergelijken, jawel dat kan ik wel, want het was de meest succesvolle Franse film aller tijden dus dat wil wat zeggen, dat is een referentie, je kunt de pot op met je referenties, *Avatar* is een wereldsucces en die Vadrouille van PP, dat is alleen maar een succes bij de fransozen; maar ze kon vooral niet wachten tot het 29 september was om *Wall Street 2* te gaan zien met Shia LaBoeuf, wat is die mooi, hij is de knapste van allemaal, bekende ze met een hartvormige mond en rode wangen, nou ja goed, zijn naam is wel lelijk, klinkt een beetje als Sja la

Bof; of Shit de Buuf! deed PP er nog een schepje bovenop, hij moest al een poosje op de 2,2 of 2,4 promille zitten, maar iedereen lachte omdat het stom en grof was, en soms doet grofheid een mens gewoon goed. Het verkleint de afstanden, wist elke schroom. Hij heeft zich flink verkeken op Megan Fox, die *Buuf* van jou. Pff, hij krijgt d'r wel een keer, die meid is niet wijs, ze denkt dat ze Angelina Jolie is, ze heeft dezelfde tatoeages laten zetten. Hé, het schijnt dat Michael Douglas keelkanker heeft, o, ik dacht dat hij een tumor op zijn tong had, hoe dan ook die Zeta-Jones wint de loterij, dat is echt zo'n vrouw die met een ouwe vent trouwt om zijn geld, wat is die trouwens dik geworden zeg, echt waar, ik heb een foto gezien in *Public*, ze lijkt wel een zwangere Nana Mouskouri; trouwens, behalve *Zorro*, Zorro? Zozo, ja, kwijlde PP, wat heeft zij ooit gedaan, hè, wat heeft ze gespeeld? Ik heb gelezen dat ze bipolair is, bi, bi, dat geloof ik best, dat ze bi is, zei PP; kunnen we het ergens anders over hebben, dat is walgelijk! Zeg PP, je kunt er beter nog wat houtskool opgooien als je die worstjes van je niet rauw wilt eten (na het verkolen van de karbonaadjes was PP de knakworstjes gaan halen die zijn vrouw voor de volgende dag had bestemd), neanderthaler! *Shit de Buuf*, goed was die, vond je niet? *Shit de Buuf*? Een reuzemop, PP, een reuzemop.

Ze aten slappe knakworsten en een paar aangebrande aardappelen toen PP op het gras in elkaar zakte en ze hem hadden laten liggen, als een biefstuk, een groot kadaver, voor de mieren en de wurmen.

Later waren ze lopend naar huis gegaan, de koelte van de nacht had hen geleidelijk ontnuchterd en toen Jeanine Foucamprez rilde, had de automonteur haar gekust.

Nu zijn ze in de woonkamer. Ze kijken elkaar aan. Arthur

heeft muziek opgezet, net als in de film. Hun ogen stralen. Ze zijn bang om te snel te gaan. De gebaren moeten volmaakt zijn, anders kwetsen ze, laten een onuitwisbaar litteken achter. Zij is ontroerd; haar boezem zwelt; ze zucht even. Arthur Dreyfuss heeft het idee dat ze een zinnetje, een woord misschien, uit haar onderbuik omhoog laat komen naar de oppervlakte, dat als een vochtig belletje tevoorschijn zal komen om te ontluiken op haar waanzinnige mond, een woord dat de sleutel van alles zal zijn, een woord dat alle vergeving omvat, stenen die muren bouwen, de menselijke schoonheid, maar het is een ander woord, een woord dat bijna wreed is, nauwelijks gesmoord achter de hand die ze plotseling naar haar lippen brengt.

'Morgen.'

Ze staat op, berouwvol, draait zich om, bijna in slow motion, tegen haar zin lijkt het wel; hij zegt niets, zij verdwijnt in de schaduw van de trap, waar het kraken van elke trede onder elk van haar stappen nauwelijks het bonken overstemt van het schreeuwende hart en de verpletterende lust van Arthur.

In zijn eentje op de Ektorp herinnert hij zich een tekst die hij aantrof in zijn *fortune cookie* bij de Mandagon in Amiens, een paar jaar geleden, iets als: 'Verwachtingen zijn net vleugels. Hoe groter ze zijn, hoe langer de reis' (naar de Perzische Djalal al-dîn Rûmi, 1210-1273). Indertijd had hij dat debiel gevonden.

Maar die nacht had hij graag willen weten hoe lang verwachting duurt.

Op de ochtend van de zesde en laatste dag van hun leven regende het.

Toen ze naar beneden kwam, was ze al aangekleed; hij stond de Ricoré klaar te maken. Ze kuste hem op zijn wang (mijn god haar geur, mijn god de zachtheid van haar lippen, mijn god haar tepel die zijn biceps raakte), we gaan boodschappen doen, Arthur, en we gaan koffie halen, echte koffie, en lachend trok ze aan zijn arm, en als dat onderonsje je banaal of idioot voorkomt, moet je het je net als Arthur Dreyfuss voorstellen op muziek. Orkestsuite – *Ouverture nummer 3 in D* van Bach, bijvoorbeeld, Rudolf Baumgartner op viool, mooi gefilmd, met de regen als achtergrond, die lach van haar, die verwondering van hem, en dan heb je twee verlegen verliefden voor ogen – een eerste kans voor hem, een laatste voor haar, en later, als je de film ziet, herinner je je dat als het moment waarop alles veranderde; het moment waarop ze besloten om samen een leven te hebben, het in elk geval te proberen, begon dáár, in dat bescheiden huisje aan de D32, zonder minnewoorden, zonder gebeuzel of flauwekul, nee, gewoon door te stoppen met de Ricoré.

Bij de Ecomarché in Longpré-les-Corps-Saints vulden ze twee mandjes met koffie, tandpasta (zij hield van Ultra-Brite, hij van Signal), zeep (akkoord voor melkzeep), shampoo (voor geverfd haar voor haar, naturel voor hem), een fles olie, pasta (zij had liever parpadelle, hij penne, hij nam parpadelle), een pot jam (zij hield van aardbei, hij van kersen, lachend pakte ze bessen: de kleur blijft hetzelfde), toiletpapier (zij hield van papier met seringengeur, daar had hij een hekel aan, ze namen allebei), groene groente (ik moet oppassen, zei ze lachend, ik ben een actrice van *wereldfaam*!), aardappelen ook (een automonteur moet goed eten en sterk zijn, en 'een gratin is goddelijk fijn' – slogan die ze elke vijf minuten had moeten herhalen bij de Intermarché van Abbeville op de afdeling knolgewassen), chocolade (wit voor allebei, kijk eens aan, alweer iets gemeen, zei hij), twee kommen waarop met de hand *Elle* en *Lui* geschilderd stond (en ze keken elkaar blozend aan, ontroerd en ontroerend, en hielden elkaars hand vast tot bij de kaas), Gruyère, Goudse kaas, een stukje achttien maanden oude Comté, ze vermeden de slagersafdeling (ongetwijfeld vanwege de verslonden onderarm van Lecardonnel Thérèse en de afschuwelijke, gruwelijke beelden die zich meteen opdrongen, een bloederige bijkogel, fijngesneden tartaar, of een rozige kalfsmergpijp), een knappe fles wijn (ze wisten geen van beiden iets van wijn, maar een klant wiens rode neus zijn deskundigheid verried raadde hen een Labadie 2007 à tien euro negentig aan – een Medoc met een betoverend zweempje rood fruit, zei hij, een klein wonder dat overal bij past, bij elke gelegenheid te drinken, ah, ik krijg er dorst van, hartelijk dank meneer, dank u wel, tot ziens), en een dikke zwarte onuitwisbare viltstift (waar heb je die voor nodig? vroeg Jeanine, geheim, antwoordde hij, geheim) en toen gingen ze naar de kassa.

Uiteraard was het totaalbedrag aanzienlijk hoger dan Arthur Dreyfuss gewend was uit te geven, tot het eind van de maand zou hij moeten oppassen. Hij vond dat hij geluk had: er zijn vrouwen die je sieraden en horloges en tassen moet geven om ze een klein glimlachje te ontlokken, maar Jeanine Foucamprez leek al verrukt met tandpasta, echte koffie, geparfumeerd toiletpapier en een paar stukjes chocola; alles wat smaak gaf aan een leven *à deux*.

Op die laatste dag van hun leven samen, die feitelijk ook de eerste was, ontdekte Arthur Dreyfuss een van de simpelste en zuiverste vormen van geluk: diep en zonder reden gelukkig zijn in het gezelschap van een ander.

Vanwege de regen renden ze op een holletje naar *het vervangend vervoer*; Jeanine Foucamprez viel bijna maar herstelde zich op wonderbaarlijke wijze (alweer lachten ze samen – laten we er de muziek van AaRon bij denken, *For every step in any walk/Any town of any thought/I'll be your guide*), Arthur Dreyfuss wierp haar de sleutels toe, je bent gek, riep ze, ik heb geen rijbewijs, ik ben al twee keer gezakt, wat kan ons dat schelen, riep hij; bibberend ontgrendelde ze het portier en zocht lachend beschutting in de auto terwijl Arthur Dreyfuss de boodschappen in de achterbak zette, onverschillig voor de regen, zijn kleren ineens als een *zwabber*; Arthur, je lijkt wel een *zwabber*, zou zijn moeder hebben gezegd.

Jeanine Foucamprez vond hem erg mooi toen hij de auto indook, zijn gezicht vol regen; liefdestranen. Je moet de sleutel in het contact stoppen en hem omdraaien om te starten, fluisterde hij met zijn milde stem. Ze glimlachte en deed wat hij zei; de motor startte. Hij legde zijn hand op de hare om te helpen met de eerste versnelling en nee, hij sloeg niet af. De eerste kilometers reed ze heel voorzichtig (zeventien kilometer per uur ongeveer) en als we aangehouden worden? We worden niet aangehouden; dus zette ze hem in zijn twee, zuchtte van geluk en gaf behoedzaam meer gas. Met jou ben ik niet bang, zei ze. De rijexaminator was een viespeuk. Hij zei dat ik niet het soort meisje was dat achter het stuur van een auto hoorde te zitten. Rechtsaf, juffrouw, zei Arthur Dreyfuss zachtjes, en vergeet uw knipperlicht niet. Ze lachte, sloeg de Avenue des Déportés in. Stopt u maar bij de bushalte. Maar dat is verboden, meneer. Nee, niets is verboden, juffrouw.

Jeanine Foucamprez zette de auto stil ter hoogte van de bushalte en Arthur Dreyfuss opende zijn portier, vouwde zijn lange lichaam van beroemd acteur *maar dan leuker* uit in de stromende regen en haalde de dikke onuitwisbare viltstift uit zijn zak en Jeanine Foucamprez keek lachend en nieuwsgierig toe terwijl hij naar het aanplakbiljet liep dat de kwaliteiten van het parfum *The One* van Dolce & Gabbana aanprees.

Ze zag hem de snor en de belachelijke puntsik van de oude hertog van Guise tekenen op het mooie gezichtje van Scarlett Johansson, bezielster van het Italiaanse paar; hij wierp haar de snelle, vrolijke blik toe van een kwajongen die een streek uithaalt en kalkte een grote dikke 2 over het woord *One* onder aan het aanplakbiljet.

Het hart van Jeanine begon sneller te kloppen dan het ooit had geklopt; nog sneller zelfs dan de dag dat het op hol geslagen was toen het kleine meisje lachte omdat haar fietslamp de wereld weer verlichtte.

Nadat ze de boodschappen hadden weggeruimd (Jeanine Foucamprez kon zich er niet van weerhouden de kastjes opnieuw in te richten, je zou de keuken moeten schilderen, opperde ze, ik hou erg van geel, dat is zonnig; Arthur Dreyfuss liet haar begaan, zelfs toen ze drie glazen weggooide waar een scherf af was, een aangebrande pan, een ridicuul reclameblik voor spaghetti – vol nutteloze dingen, muntjes uit een ver verleden, plastic lepel, stenen poppetje dat dienst had gedaan als driekoningenboon, stukje schors van de plaatselijke zoete vogelkers, reepje papier uit een *fortune cookie*; hij liet haar zich installeren, zich uitstrekken, zich verspreiden, en zuchtte elke keer verrukt en verhit als ze haar armen uitstrekte om ergens naar te reiken, een schitterend gebaar waarbij haar bovenlichaam zich strekte, haar fabuleuze boezem zich spande en haar blanke kuiten verstrakten; ach hemel wat een schoonheid, wat een geluk heb ik, dacht hij, terwijl zijn hart weer op hol sloeg, duizend woorden zich vormden, duizenden jaren oud en nooit eerder gehoord) nadat ze de boodschappen hadden weggeruimd dus, was het tijd om koffie te zetten, echte, niet jouw akelige Ricoré, Arthur, zei ze met dezelfde lieflijke en warme stem als die waarmee Charlotte (Scarlett Johansson) in *Lost in Translation* tegen haar man John zegt: '*Mmm, I love Cristal, let's have some*, en hij deprimerend genoeg antwoordt: '*I gotta go... and I don't really like champagne*'; en die twee in de keuken die op een dag geel zou zijn, lachten – om het geschenk van een moment dat volkomen met zichzelf samenvalt, maar daar hielden ze plotseling mee op toen ze merkten dat ze de koffiefilters vergeten waren.

Dat was het moment waarop Jeanine Foucamprez de hemel en vooral Arthur Dreyfuss prees voor zijn koppige voorliefde voor ongeparfumeerd toiletpapier: stel je voor, koffie met seringengeur, *foei*, *bah*, jasses, stel je voor. Ondanks de kleine wattenpluisjes die even in hun nieuwe Elle- en Lui-kommetjes dreven voordat ze meelijwekkend ten onder gingen, als vloeipapierkruimels, sneeuwparels, vervulde de *maragogype* al zijn beloften van zachtheid en smaak; het was een fruitige koffie, zo licht als de lucht in Chiapas waar hij zo lang had gerijpt, en onze twee fijnproevers dronken het vocht met hun ogen dicht, dromend van Guatamalese hoogvlakten, Sub-Saharische droogte, een Patagonisch meer of het diepe achterland van India, ergens op de wereld zonder elektriciteit, zonder bioscoop, zonder internet, zonder Mediamarkt, zonder klantenservice, zonder Scarlett Johansson.

Tegen de middag hield het op met regenen.

Ze waren binnen twintig minuten in Abbeville, twintig minuten waarin Arthur Dreyfuss droomde dat hij een cabriolet bestuurde met de mooie Scarlett Johansson aan zijn zijde, haar haren in de wind, haar jukbeenderen even glanzend en glad als twee appeltjes, twee kleine Pink Lady's. Jeanine Foucamprez had haar hand uit het open raampje gestoken, haar haren wapperden door de Honda Civic, ze had een kort jurkje aangetrokken waarvan de zoom zwalpend opkrulde in de wind en de verrukkelijke bleekheid van haar dijen onthulde, ze vond het leuk om Arthur in verwarring te brengen; Arthur Dreyfuss had snel gereden met zijn aandacht strak op de weg, om die gevaarlijke kleine erotische afleidingen te ontwijken.

Uw moeder heeft goed gegeten, vertelde een jonge verpleegster die ze nog nooit hadden gezien. Ze heeft haar vis laten staan, maar al haar puree opgegeten – een golf van verdriet overspoelde de zoon van de antropofaag omdat hij zich herinnerde dat zijn moeder niet meer van vis hield sinds ze niet meer van zijn vader hield, de sluwe visser met zijn draailepel en ander *buzzbaits*. Ze zal wel een beetje verward zijn, waarschuwde ze, ze heeft net haar medicijnen ingenomen, maar ze is vanmorgen wat rustiger, al heeft ze me wel twee keer naar Elizabeth Taylor gevraagd, wat mij doet vermoeden, voegde de verpleegster er met gedempte stem aan toe, dat ze een beetje de weg kwijtraakt, maar goed.

Ze is de weg niet kwijt, reageerde Jeanine Foucamprez kortaf. Haar hoofd zit vol fantastische dingen waar ze de juiste woorden niet voor kan vinden. Dat is alles.

Lecardonnel Thérèse glimlachte zwakzinnig toen ze Elizabeth Taylor haar kamer zag binnenkomen.

Haar zoon had de indruk dat het beetje vlees dat haar nog restte in een enkele nacht was weggezogen. Haar huid was zo dun dat het nog slechts een minuscuul stramien leek, van Valenciennes-kant, zo dun dat het niets meer verborg van de angstaanjagende hoekigheid van de onderkaak, de frontale apofyse, de juk- en wiggenbeenderen; haar gezicht was dat van een nog glimlachend lijk, de ogen ingevallen als twee parels onder in een bomkrater; de lippen uitgedroogd en ruw als schuurpapier. Moeizaam vormde ze haar woorden: *gekomen, wat fijn, zo mooi, engel, honden hebben geen vleugels*, voordat haar oogleden als doorzichtige, stoffige sluiers de verloren parels weer omhulden.

Arthur Dreyfuss en Jeanine Foucamprez pakten ieder een

hand – de linker was al blauw en koud – van de vrouw die verdronk in de donkere, angstaanjagende wateren van verdriet; maar de verschijning van de verbijsterende *Venus in bont* (met Elizabeth Taylor) had op haar schrikwekkende gezicht een glimlach getekend die haar niet meer zou verlaten.

Een poosje later gingen ze naar de cafetaria beneden en kochten twee zakjes chips, naturel voor haar, barbecue voor hem, een Mars en een Bounty uit de automaat en twee koppen koffie, en terwijl die langzaam in de kopjes druppelde, zo traag als een infuus (we zijn niet voor niets in een ziekenhuis), keken ze elkaar glimlachend aan en die glimlach bracht hun harten en hun angsten nader tot elkaar en verwijderde hen even van alles wat ze verloren hadden, van alles wat we verliezen bij elke stap die we zetten: een moeder, een herinnering, een stuk muziek, een liefde; van alles wat ons bang maakt, ons vernietigt, ons ontmenselijkt.

Liefde is de enige redemie om geen moordenaar te worden.

Lecardonnel Thérèse, haar glimlach nu voor eeuwig op haar gezicht, stierf onder hun ogen; haar ziel vertrok om zich bij die van Noiya te voegen op de vleugels van Cleopatra Taylor, ze zei niets meer, verroerde zich niet meer. Zojuist had Arthur Dreyfuss in de droefgeestige kamer woorden van afscheid en van liefde geprobeerd, want dat zijn vaak dezelfde, maar de woorden waren vreesachtig geweest, net als hij, ze hadden zich niet aaneengeregen, dus was Jeanine Foucamprez om het bed heen gelopen om achter hem te komen zitten en als een kleine Cyrano met een zwart jongenskopje, verbijsterende vormen en een mond als een aardbei had ze hem de laatste woorden voorgezegd: *Ik ben gelukkig geweest met jou, mama, ik wil je be-*

danken. Wil je tegen Noiya zeggen dat ik van haar houd wanneer je haar ziet, dat ik haar nog altijd mis, ze is onze eigen Schoonheid van God. Arthur Dreyfuss had de gefluisterde woorden nagezegd, maar af en toe verdronk er een letter, een lettergreep, een heel woord in zijn tranen.

Ik ben niet verdrietig, mama, straks zijn jullie samen in de grote boom, alle drie, ik zal jullie komen opzoeken. En Elizabeth komt ook mee, met mij, we komen samen, we gaan niet meer bij je weg... Ik hou van je,' souffleerde Jeanine Foucamprez. Zeg dat je van haar houdt, Arthur. Dat is zo belangrijk. Dat belet het sterven. *Ik hou van je,* bracht Arthur uit, maar zijn mond was vol zout water, verdriet en speeksel en het woord van de onsterfelijkheid smolt erin weg.

De verstarde glimlach leek te beven.

Overstuur had Jeanine Foucamprez toen haar gezicht naar dat van Arthur Dreyfuss gewend. Zo kwam er een kringloop van geven tot stand. Een huivering van eeuwigheid, van geven en ontvangen. Arthur had haar de lach van een klein meisje geschonken, en zij was deze magnifieke overlevende geworden. Zij schonk de ontroostbare moeder vrede, en die zou op haar beurt alle verhoopte tederheid van de wereld doorgeven aan de bewoners van de zoete kersenboom, aan de wind, aan de bossen, aan het stof waaruit wij bestaan. Liefde gaat nooit verloren.

In de cafetaria was de koffie nog steeds niet uitgedruppeld.

Ineens smeet Jeanine Foucamprez haar zakje chips op tafel, greep trillend de hand van Arthur Dreyfuss, kneep er uit alle macht in en maakte toen met een stem die schor was van angst, bekrast door vrees, een einde aan het wachten: 'Ik wil met je vrijen, Arthur, breng me naar huis.'

Ze wachtten niet op de dienstdoende arts, die hen vast zou hebben gevaccineerd met vreemde woorden – confocale immunocytochemie, puntvormige afwijkingen in de subcorticale witte stof of cerebrale stereotaxie – die hij uit medemenselijkheid vertaald zou hebben in een understatement 'maakt u zich geen zorgen, het gaat allemaal goed, alles loopt zoals het hoort'; nee. Ze holden naar *het vervangend vervoer* zonder elkaars hand los te laten, alsof hun bloed zich via hun verstrengelde vingers vermengde. Achter het stuur stoof Arthur Dreyfuss vooruit met de krankzinnige vaart van een ambulance die twee liefdesgewonden vervoert, twee ernstig getroffen slachtoffers van verdriet. Ze legden de tweeëntwintig kilometer in tien minuten af – dat is een gemiddelde snelheid van honderdtweeëndertig kilometer per uur, wat heel onverstandig was maar zo wijs als je bedenkt dat het licht zelf zich in een bliksemflits zoals die waarin zij verliefd waren geworden al verplaatst met driehonderdduizend kilometer per seconde, ja, per seconde, en dat die twee het zwaar te pakken hadden.

Ze stopten met gierende remmen voor het huis – PP zou morgen zeker vloeken over de staat van de banden, maar morgen zou iedereen sowieso schreeuwen en huilen – sprongen uit de racewagen en renden naar het huis, holderdebolder naar binnen als de wind op een stormachtige dag; Arthur Dreyfuss schopte met zijn voet de deur achter zich dicht die knalde als de donder, en toen, na de dringende hunkering van de lust, waren daar ineens de stilte en de roerloosheid van het verlangen.

Ineens leek alles vertraagd.

Met een zwierige beweging draaide Jeanine Foucamprez zich om; haar jurk, rood als het eerste bloed, een eerste keer; ze fladderde, haar lange gladde benen glanzend in de schemering van de woonkamer, en toen leunde ze zachtjes met haar rug tegen de muur, leek zich er als een vlinder op neer te zetten, zo licht was alles ineens in haar; haar hallucinante lippen glansden, haar ronde, hoge jukbeenderen glansden, haar ogen glansden stralend naar Arthur Dreyfuss, met zijn mond zo droog en zijn handen zo klam en zijn hart zo roffelend als een tamboer. Er vloog een heldere lach op uit de keel van Jeanine Foucamprez, een *arietta*, het geluid van een vallend rond steentje in het water van een klare bron, waarna ze nog steeds in slow motion naar de trap vlinderde, naar de bovenverdieping, naar de slaapkamer, naar het bed.

Toen hij zich bij haar voegde stond ze voor het kleine raam; met bevende vingers maakte ze elk van de knoopjes van haar jurk los, zoals je een huid opensnijdt om een hart te vinden. Kom, fluisterde ze, kom, het is voor jou. Arthur Dreyfuss wankelde dichterbij. De mooiste boezem van de wereld ging hem aangeboden worden. Hij ging ze zien, aanraken, strelen, likken misschien, erin bijten, ze inslikken; hij zou erin onderduiken en sterven, ja, nu kon hij sterven; hij was slechts een ademtocht, slechts een kus van haar verwijderd toen de donkere, satijnachtige, ongelooflijke beha wegviel en die twee vlezige wonderen bevrijdde, die volmaakte borsten, bleek als sinaasappels, met lichte tepelhoven en ferme tepels, zo echt; Jeanine Foucamprez was zo verschrikkelijk mooi, haar borsten waren de wonderbaarlijkste borsten die Arthur Dreyfuss ooit had gezien, ongelooflijk en magisch. En *Elle* en *Lui,* verlegen en heet, waren zo mooi, zo magnifiek in hun kuisheid, hun kinderlijkheid die zo laat nog altijd niet vervlogen was.

Jeanine Foucamprez pakte de hand van de automonteur die zo op Ryan Gosling leek *maar dan leuker* en legde die op haar linkerborst; hij dacht dat de verbluffende, warme boezem trilde, maar het was zijn hart dat roffelde, jagend alsof er in zijn keel een vogel met zijn vleugels klapperde, en toen ze haar jonge minnaar aanspoorde om meer kracht te zetten, om zich in de zachtheid, de duizeling en de gulzigheid te verliezen, slaakte Arthur Dreyfuss een kreet, of liever gezegd een reutel, trok snel zijn hand weg en vluchtte naar de schaduw van de trap. Hij had zojuist geëjaculeerd.

Laat alle wat geeft dat, dat gebeurt iedereen toch weleens maar zitten, want voor Arthur Dreyfuss gaf het wel, gaf het heel erg; en het feit dat het iedereen weleens gebeurt, kon hem niets, maar dan ook helemaal niets verrekken.

Het was hém gebeurd.

Hij die de droom van een leven in handen had – gedurende zes seconden om precies te zijn, een absolute droom sinds Nadège Lepetit in de eindexamenklas, sinds de 80E van Liane le Goff op de bok in de gymzaal, sinds juffrouw Verheirstraeten in de tweede klas, wier ravijn tussen twee wereldbollen hem honderd keer, duizend keer de lust hadden bezorgd om een traan te zijn, een druppel parfum, een druppel zweet, om daarin te kunnen verdrinken – die droom van zijn leven, die had hij laten ontsnappen, op de meest deerniswekkende manier, in zijn broek, in het donker en de schande, zoals in zijn ridicule puberteit toen hij hetzelfde fiasco had gekend bij een andere weelderige boezem.

Maar de zachte, reddende stem van Jeanine Foucamprez raakte zijn hart en wiste zijn schaamte: 'Ik vind het fijn dat je zo naar me verlangt, Arthur. Dat is immers iets moois.'

Toen stond Arthur Dreyfuss op uit de schaduwen die hem als as bedekten en voegde zich bij zijn verlosster op het bed. Ze lag er naakt; nog mooier dan de miljoenen foto's van een half ontklede Scarlett Johansson konden doen vermoeden. Arthur werd even duizelig; achter dat wonderbaarlijke lichaam was Jeanine gemaakt van woorden die verwarden, van die kleine vlezige ongrijpbaarheden die het gewicht der dingen zelf vormen. *Huivering/Wind/Universum/Onverklaarde pijn/Tederheid/Dageraad.*

Daar vond hij troost voor zijn schande, want alvorens een serieuze erectie te hervinden liet ze hem wat tijd om in dat bleke meer te duiken, die heerlijke zachte oevers te bereiken, die dos (of *bos*? – zelfs de oude juffrouw Thiriard, de amateurtolk, had geaarzeld), die welige, uitgelaten dos, die ze zo had gelaten, natuurlijk en wild, als een eerbewijs, had ze gezegd, aan de dos (of de bos) van Maria Schneider (in de beroemde film van Bernardo Bertolucci, 1972 – drie jaar na het eerste Woodstock Festival – waar de jongens inderdaad lang en vettig haar hadden en de oksels van de meisjes inderdaad bebost en vettig waren).

En Jeanine Foucamprez begon te lachen, diep geroerd door de verwonderde en kinderlijke en eigenlijk zo simpele blik van haar beminde; het was een heldere lach van geluk, die hoog in de kamer opvloog, rond stuiterde en tegen iedereen en vooral tegen jou, mama, zei: zie je nou wel, jouw stilzwijgen heeft mij uiteindelijk niet bezoedeld, en als er een lied gekozen moest worden voor dat lichte moment: zonder enige twijfel *Fuire le bonheur avant qu'il ne se sauve* – Vluchten voor het geluk uit angst dat het op de vlucht slaat – van Gainsbourg, en de breekbare stem van Jane Birkin, fantastische nostalgie die nauwelijks de bede van Jeanine Foucamprez zou overstemmen: 'Je bent niet de eerste, Arthur; ik zou heel graag willen dat je de laatste was.'

Intussen schreef mevrouw Rigodin, de journaliste van de *Courrier Picard* (rubriek plaatselijk nieuws, Amiens en omgeving) een kort bericht voor de website van Long.

Dat bericht of die post werd getweet door een zekere Claudette, twee kinderen, amateurschrijfster van het blog 'De muren hebben oren'.

De tweet, ofwel *roddel van maximaal 140 tekens*, werd overgenomen door Virginie la Chapelle (lid van Facebook, fan van Flavie Flament, Dany Boon, Thomas Dutronc en soortgelijke Bruno Guillon-types, aan haar foto's te zien), die op haar beurt op haar *wall* deze simpele opmerking plaatste: 'Scarlett Johansson is in Long, HELEMAAL GELUKKIG.'

Naast een honderdtal likes van haar schaapachtige kudde volgelingen bloeiden er binnen de kortste keren bloemrijke *comments* op: *Long Island?? Waar dan!! Serre Long?? Scarlett is een stoot. Waar is ze? Het schijnt dat ze bij Ryan Reynolds weg is. In de baai van Ha Long? Long als mijn lul? Ik vond* The Island *zo geweldig! Wat een tieten! Ik heb Scarlett Johansson als Real Doll besteld, nu kan ik haar eindelijk naaien.* Enz. Bijzonder elegant. Erg chic allemaal.

En in dat stuiterspel van vrienden naar vrienden naar vrienden belandde een Waals stel op de camping van Jipé, de bandenprikker, op de wall van Virginie la Chapelle. Ze besloten onmiddellijk een rondje door het dorp te rijden (9,19 vierkante kilometer) in de hoop de fabelachtige actrice bij toeval tegen te komen en, waarom niet, zich met haar samen op de foto te laten zetten, met het ven van de Grande Hutte – het vissersparadijs – op de achtergrond. Ach, wat zouden hun vrienden verrast zijn bij hun terugkeer in Grâce-Hollogne (provincie Luik, waarvan de inwoners de mooie naam 'Grâcieux-Hollognois' droegen).

In de tussentijd kwam PP, die graag zijn tijd verbeuzelde op het web terwijl Julie zijn derde vrouw zich overgaf aan haar wekelijkse schoonheidsritueel (volledig epileren, scrubben, maskertje, nagels, puimsteentje langs de voetzolen, haren verven en vervolgens langzaam masturberen met warm water uit de nieuwe douchekop met vijf jetstralen), PP dus, die graag flaneerde op bepaalde websites met pikante, verlokkelijke titels en welgevormde dames, met kallipygische en andere uiteraard honderd procent natuurlijke kwaliteiten, kwam *heel terloops en natuurlijk* terecht op een site gewijd aan actrices, waaronder Scarlett Johansson. Hij zag met afgrijzen dat Photoshop de omvang van haar borsten aanzienlijk had gereduceerd in de meest recente reclames voor Mango: van schitterende bollen waren het treurige hangers geworden. Hij nam zich meteen voor om nooit ofte nimmer iets van dat sjacheraarsmerk te kopen. Ja zeg. Wat dachten ze wel.

Op dezelfde site las hij dat Scarlett Johansson de avond van 14 september had doorgebracht in Épernay (in de Marne), op honderdvijftig kilometer afstand van Long (in de Somme) waar ze de volgende dag arriveerde. Daarop kreeg hij een openbaring en hij brulde tegen Julie die op het hoogtepunt van de douchekop was: 'Schatje, Arthur liegt hoor, het is niet Angelina Jolie, het is Scarlett Johansson!'

Arthur Dreyfuss had zich uitgekleed en was naast haar gaan liggen. Hun huid was puur. Hun bleke huid. Ze hielden elkaars hand vast. Arthur Dreyfuss durfde de zijne nog niet op de fabelachtige borsten te leggen: ze hadden er daarstraks van geproefd, met het bekende resultaat, nee dus. Hij wilde deze lange periode van verlangen vasthouden, de tijd die voorafging aan de dingen en de gewelddaden. Hij wilde genieten van Scarlett Johansson, zich aan haar laven, zich van haar vervullen, voor een heel leven; misschien zou ze morgen vertrekken, misschien zou ze morgen verdwijnen; voorlopig was ze hier, onder zijn monteurshanden, droog en sterk als die van zijn stropende vader, handen die je niet loslaten, die niet beven. Hij glimlachte en wist, zonder te hoeven kijken, dat zij ook glimlachte. Al heel snel ademden ze in hetzelfde ritme, op dezelfde maat; muziek – iets delicaats op de piano, *Köln Concert* van Keith Jarret, bijvoorbeeld. Vanuit hun verstrengelde handen straalde een nieuwe warmte, die zowel aan de kindertijd als de volwassenheid met al zijn brandwonden herinnerde. Ik heb het warm en koud tegelijk, prevelde zij.

En ze herhaalde: ik heb het warm en koud tegelijk, en ze wisten dat ze begonnen waren met vrijen.

Ik ben niet bang met jou, Arthur. Jij bent lief. Je bent mooi. Hij dacht aan dat ooit opgevangen liedje van Barbara waarvan hij de tekst mooi vond, *Viens, viens, je te fais le serment/*

Qu'avant toi, y avait pas d'avant – kom bij me, ik bezweer je/ dat er vóór jou geen vooraleer was – en hij vergat zelfs het gezicht van mevrouw Lelièvremont die hij op haar hartstochtelijk aandringen had genomen op de achterbank van haar Renault Espace, op een dag dat PP er vooral niet was; mevrouw Lelièvremont, echtgenote van de notaris van die naam, zijn onstuimige ontknaapster, snel, vulgair, uitgehongerd, opwindend, o jongen, loos, loos; haar kreten hadden hem verrukt, hij had geloosd, de leeuwin had gebruld en ineens had hij de onstuimigheid, de onkuisheid van de vleselijke liefde begrepen en bemind. De weelderige tippelaarster uit Albert en de vrouw van de notaris waren zijn twee eerste keren geweest, en toch fluisterde hij in het oor van de mooie Jeanine Foucamprez: vóór jou was er geen vooraleer – wat de mooiste woorden van liefde waren die hij op dat moment kende, en zij draaide zachtjes haar gezicht naar hem toe, kuste hem op de wang: je bent lief. Ik voel me fijn bij jou. Zijn erectie keerde terug en zij slaakte een charmant klein lachje – een blozend lachje, als je dat zo kunt zeggen. Ik ben hier met jou, Arthur, ik heb voor jou gekozen en ik weet niet eens waar je van houdt. Of je houdt van... ik weet niet wat. Gegrilde vis of spiesjes. De boeken van Amélie Nothomb, de muziek van Céline Dion of, voegde ze er grinnikend aan toe, van de ficelle picarde. Jeanine Foucamprez draaide zich op haar zij om Arthur Dreyfuss goed te kunnen zien; haar borsten leken te verschuiven, of traag te vervloeien, als kwik. Het was een heel mooi gezicht. Ik lees graag, bekende hij, maar er waren niet veel boeken bij ons thuis. Mijn vader zei altijd dat je niet leefde als je las, mijn moeder was het niet met hem eens. Zij leende boeken in de bibliotheek. Wat voor boeken? Delly, Danielle Steel, Karen Dennis, romantische verhalen. Ze zei dat lezen de leegte vulde die Noiya had achtergelaten en als ze huilde, zei ze dat de woorden haar schoonwasten. Dat is mooi, zei Jeanine Foucamprez. Nee, dat is flauwekul. Ze lachten. Op een dag vond ik in een auto een dichtbundel. In een verongelukte auto. Ik had nooit gedacht dat je daar een boek met gedichten zou kunnen vinden. Daarom nam ik het mee. Ik heb het heel vaak gelezen. Hoe vaker ik het las, hoe meer ik de indruk had dat alles wat je ontdekt in het leven al is ontdekt in woorden – alles wat je voelt, is al eens gevoeld. Alles wat er gaat gebeuren dragen wij al in onszelf. Jeanine beefde; hij begreep nu, niet zonder nostalgie, dat woorden ons altijd vóór zijn. Ik houd van jouw woorden, zei ze. In een van zijn gedichten, ging hij verder, vertelt hij over een jongen die nog ten minste een halve eeuw te leven voor zich heeft en hij schrijft: *Hij glimlachte tegen de alledaagse hoop*. Jeanine trok even een nostalgisch gezicht. Vanwege het woord *alledaags*. Dat zegt al hoe het afloopt. Dat zegt al dat. Ze had hem onderbroken. Hij maakte er geen punt van; de tijd voor nieuwe woorden kwam nog. Ik, ik hou niet zo van poëzie, ik heb er alleen maar slechte herinneringen aan, van school. Bossuet in de vijfde klas van de lagere school. Pons, of Spons, in de vijfde van de middelbare. Ze lachte. Maar ik hou wel van Amélie Nothomb. Ik vind haar grappig. Ken ik niet. Ik zal je er wel eentje voorlezen als je wilt. Céline Dion ook, je weet dat ik die goed vind, ze heeft me gered. Maar ik zal het je niet kwalijk nemen als jij er niet van houdt. Trouwens, als jij er niet van houdt, luister ik er niet meer naar, beloofd (gelach). Wie is jouw favoriete zanger? Arthur Dreyfuss glimlachte; ik heb geen favoriet, ik hou gewoon van liedjes. Zoals wat? O, oude nummers zoals PP altijd in de garage draait. Dingen uit zijn tijd. *Suzanne* van Leonard Cohen, bijvoorbeeld. Reggiani. Het chanson *Mon Vieux* van

Daniel Guichard, dat doet me aan de mijne denken, mijn eigen ouweheer. Het is een beroerd cassettebandje, je moet het met een potlood terugdraaien, maar PP is er gek op want hij is gesigneerd door Daniel Guichard zelf toen hij hier optrad in 1975. En Balavoine. Goldman, Dalida. Peggy Lee ook, die heeft een klant ooit laten liggen.

Jeanine glimlachte, bracht haar gezicht dichterbij, kuste de mond van Arthur Dreyfuss, haar tong was zacht, wervelend, als de vleugels van een vlinder; haar ogen waren gesloten, die van Arthur Dreyfuss bleven open, hij wilde haar zien, haar bekijken; hij hield van haar oogbollen, onder haar oogleden, heen en weer trillend van links naar rechts, en ook in de rondte af en toe, zoals de vleugelbewegingen in zijn mond; ze was geconcentreerd, ze was verliefd.

Neem je me mee naar zee? Ja. Welke is het mooist, welke zee? Weet ik niet, ik ben een keer naar Cap Gris-Nez geweest met PP en Julie.

(*Ter attentie van aanwezige amateurgeografen en andere nieuwsgierigen:* de Cap Gris-Nez ligt tussen Wissant en Audresselles, in Pas-de-Calais, bij de gemeente Audinghen, 600 inwoners, midden in de Opaalkust. Het is het punt van de Franse kust dat het dichtst bij Engeland ligt, op precies achtentwintig kilometer van Dover. De locatie is vooral geliefd bij ornithologen vanwege de vele trekvogels – gorzen, mussen, rietzangers, roofmeeuwen, enzovoort – die er in voor- en najaar te zien zijn; een rotskaap met een fascinerend uitzicht. Helaas valt er een groot aantal nogal akelige zelfmoorden te betreuren: na een val van vijfenveertig meter lijkt het menselijk lichaam op hondenvoer uit blik.)

En is het mooi? Ja. Het is heel mooi want er zijn geen huizen, geen auto's, ik bedacht indertijd dat het duizend jaar geleden hetzelfde moet zijn geweest en dat is er zo mooi aan: de onbeweeglijkheid. Ik zou er graag met je heen willen, Arthur. Morgen, als je wilt. Ik breng je er morgen heen.

Ik geniet zo van dit moment, zei Jeanine Foucamprez. Ik vind het fijn dat jij van onbeweeglijkheid houdt. Ik heb altijd alleen haastige types gekend. In groep 8 stuurde een jongen me een gedicht. Ik weet het nog. 'Je Mond' heette het, ik ken het uit mijn hoofd. Ik moest erom janken, de eerste keer. *Het lijkt wel een aardbei/uit de mooiste tuin/ik wil dat zij me kust/want je ziet er zo mooi uit/O, Jeanine! Grijp mijn fluit.* Nou vraag ik je. Wat een eikel. Wat een eikels. Soms denk ik dat ik niet het juiste lichaam heb. Omdat het steeds verward wordt met iets wat ik niet ben. Ik had langer moeten zijn, magerder, platter, ik had een sierlijker lichaam moeten hebben, een silhouet dat minder... bloot is (ze aarzelde bij het woord), en dan zouden ze misschien proberen te zien wat er vanbinnen zat: mijn hart, mijn smaak, mijn dromen. Zoals Callas bijvoorbeeld. Als zij een stoot was geweest, zou iedereen hebben gezegd dat ze niet kon zingen, dat ze playbackte. Nu niet. Met dat gezicht van haar, haar grote neus, haar magere lichaam, haar overschaduwde ogen, hielden de mensen van haar ziel en haar verdriet. Ze begon te lachen om dat van haar niet te laten blijken. Op een dag, zei Arthur, vertelde mijn vader me dat het de kont van mijn moeder was die hem had aangetrokken, hoe ze daarmee wiegelde, als een kippetje. Die kont als oorsprong van het verlangen. Wie ze was kon hem niet schelen. En jij dan, zijn het niet mijn borsten die je als eerste aantrokken? Hij bloosde. En als ik lelijk was geweest? Zou het verlangen er zijn geweest zonder het lichaam?

Even klonk alleen het geluid van hun ademhaling. *Alles duurde en bleef bevolkt van verwachting,*[14] had Follain geschreven. Ik geloof dat het verlangen er ook is zonder het lichaam, fluisterde Arthur ten slotte.

Jeanine Foucamprez sloot even haar ogen, huiverde even. Toen veranderde ze van onderwerp, een kleine reddingsboei: zeg! Nu we het toch over mijn smaak hebben, je moet weten dat ik dol ben op amandelspijs en die boomstammetjes van ijs met de kerst. Dat ik altijd de kleine plastic kaboutertjes pik, vooral die met de zaag. Dat ik graag een keertje naar de opera zou willen en dan huilen bij het luisteren.

Ben jij al eens naar de opera geweest? Nee, antwoordde Arthur. Maar je zou het wel willen? Hm. Moet ik over nadenken.Ik heb een keer *Het Zwanenmeer* gehoord. Dat is een heel mooi verhaal. Heel droevig. Het meer, dat wordt geloof ik gevormd door de tranen van de ouders van een ontvoerd meisje dat 's nachts in een zwaan verandert, en er wordt een prins verliefd op haar. Hij heet Siegfried. Het is zo mooi. Zo... tragisch. En de muziek was zo prachtig, o, ik moest ervan huilen. Het was net een geboorte. Arthur Dreyfuss sloot haar in zijn armen. Geen van beiden hadden ze last van zijn formidabele erectie. Ze gingen gemakkelijk liggen, arm in arm, zij op haar linkerzij, hij op zijn rechterzij, hun bleke lichamen voegden zich naar elkaar, weerspiegelden zich, onthulden de plattegrond van hun verlangen; ze keken elkaar aan en hun ogen straalden van de toekomst die ze zich voorspiegelden, van de muziek die hen wachtte, van alles wat een ontmoeting aan eeuwigheid belooft.

Ik heb ook een keer gehuild toen ik naar een liedje luisterde, vertelde Arthur Dreyfuss. Mijn vader was al een tijdje weg en mijn moeder dronk martini onder het wachten, en we hoorden Piaf zingen op de radio. Tegen elke verwachting in zette hij een lied in. Zijn stem was mooi en helder. Jeanine Foucamprez was er van onder de indruk. *Mon Dieu/Laissez-le moi/Encore un peu/Mon amoureux/Un jour, deux jours, huit jours/Laissez-le moi/Encore un peu* – lieve God/laat hem nog even bij mij/Mijn liefste/een dag, twee dagen, acht dagen/laat hem nog even bij mij – en mijn moeder danste in de keuken, ze was naakt, met een glas in haar hand; ze was dronken, de drank spatte uit het glas, en ik vond haar mooi in haar verdriet, in de rauwheid van haar lichaam, haar armzalige ellende. Ze draaide als een tol om haar as terwijl ze lachend meezong met Piaf: *Le temps de s'adorer/De se le dire/Le temps de se fabriquer/Des souvenirs* – gun ons de tijd om elkaar te beminnen/om dat te kunnen zeggen/De tijd om herinneringen aan te leggen – en ik keek toe en begon te huilen en toen zag ze me, ze wenkte me dichterbij, nam me in haar armen en liet me dansen en draaien, draaien, draaien; zij viel om en ik viel op haar, op haar droge, koude huid, ik huilde en zij lachte. Hoe oud was je toen? Veertien. Ach lieverd, prevelde Jeanine Foucamprez, en ze sloot haar vochtige, glanzende oogleden, ach lieverd. Arthur Dreyfuss trok het verbijsterende lichaam tegen zich aan, de fabuleuze boezem perste zich tegen zijn borst, het leek alsof hij haar borsten in zich wilde opnemen, in zichzelf wilde verdrinken, haar wilde worden, haar lichaam worden, die borsten, je smoort me, verzuchtte Scarlett Johansson, maar ik vind het fijn, dus omarmde hij haar nog vaster, zijn geslacht gleed tussen haar benen die het gevangen namen en onbeweeglijk vasthielden; hij voelde de donzige, wollige streling van de warrige dos/bos tegen zijn buik; meteen dacht hij aan het gebroken oliecarter van een Xsara Picasso dat hij moest vervangen, als afleiding voor wat er daar beneden gebeurde, onder in zijn ballen. Niet klaarkomen, niet klaarkomen nu, maar de dijen van Jeanine Foucamprez trokken hem langzaam af, en na het oliecarter waren het beelden van politici, een overreden hond op het Chemin de la Chasse-à-Vache achter de camping van Long, het lange, tanig gerimpelde gezicht van Alice Sapritch in *La Folie des Grandeurs* en jawel, gewonnen: zijn erectie verslapte. Vind je het niet fijn wat ik doe? fluisterde ze zachtjes. Jawel, o, jazeker, maar ik wil niet te snel zijn. Jij mag wel klaarkomen, hoor.

Hij kuste haar langdurig op haar mond omdat hij niet wilde praten over het genot, er geen woorden aan wilde verbinden; woorden waren een beetje angstaanjagend. Dat had hij wel gemerkt daarstraks toen hij haar had geprobeerd te vertellen wat hij had gevoeld bij dat boek van Follain, had geprobeerd haar te bekoren, zoals de vorige dag, toen hij had verteld over de *Baron in de boom* in het woud van Eawy en ze dichterbij was gekomen en hun lichamen hadden geprobeerd om eensgezind te lopen.

Misschien was dat het woord van het begin. De stilte.

Toen schoof Jeanine Foucamprez omhoog naar het hoofdeinde om haar grootste schat aan te bieden aan de mond van de monteur, zo knap als Ryan Gosling *maar dan leuker*, haar borsten, waar miljarden mannen gek van waren; voor jou, zei ze, ik schenk je ze, ze zijn voor jou, alleen voor jou, en met droge mond kuste Arthur Dreyfuss de wonderbaarlijke tweeling, zijn tong proefde elke vierkante millimeter; zijn mond, zijn vingers verkenden de melkachtige zachtheid, het ruwere roze dat verstijfde tussen zijn lippen, met zijn wangen streelde hij de satijnzachte huid, hij duwde zijn neus ertussen, snoof alle nieuwe geuren op – talk, honing, zout en kuisheid; Arthur Dreyfuss verslond de borsten van Jeanine Foucamprez, de mooiste borsten van de wereld, en hij begon te huilen en zij klemde zijn knappe gezicht tegen ze aan, vervuld van liefde, vervuld van de lust van mannen, met het gebaar van een moeder, ik ben hier, fluisterde ze, niet huilen, niet meer huilen, ik ben hier.

Zo bleven ze onbeweeglijk, ineengevouwen, verzegeld, tot hun hart de kalmte van de tederheid hervond; tot het zout opdroogde waarmee hun huid aan elkaar plakte; toen prevelde hij zijn dank en zij was er overgelukkig mee. Ik zou zo graag altijd zo willen blijven liggen, dat is stom, ik weet best dat dat niet kan. Maar ik zou het toch graag willen. Hij vond het fijn dat ze dat zei omdat hij precies hetzelfde dacht.

Dat zoiets nooit moest ophouden. Dat we ineens kunnen praten in tranen omdat woorden te onbeholpen of te pretentieus zijn om schoonheid te beschrijven.

Ik was graag actrice geworden, weet je. Maar die rol is al bezet, voegde ze eraan toe met een gemaakt vrolijke glimlach. Actrice; zie je mijn billen in de spiegel? Nee, antwoordde Arthur Dreyfuss. In de film, verklaarde ze, zegt hij ja. Hij zegt ja op alles wat ze vraagt. En mijn bovenbeen, vind je dat mooi? Ja. En mijn borsten, vind je die mooi? Ja. Reusachtig, preciseert Piccoli in *Le Mépris*. Wat vind je mooier, mijn borsten of de punt van mijn borsten? Ja. Je bent een sufferd, Arthur, zei ze lachend. Weet ik niet, even mooi. Mijn gezicht? Ja. En mijn hart, Arthur, hou je van mijn hart? Ja. En van mijn ziel en mijn angsten en mijn verlangen naar jou? Ja. En de liefde, geloof je in de liefde? Geloof je dat ik misschien voor jou de ware ben? Dat ik uniek ben, uniek op de wereld, zeldzaam en kostbaar, dat ik Scarlett niet ben? Dat je van me zou houden zonder dit uiterlijk, dat ik mijn kans zal krijgen, net als alle andere vrouwen overal? Ja, ja, ja en ja. Jij bent Jeanine Isabelle Marie Foucamprez en je bent uniek en gedurende de afgelopen dagen in jouw gezelschap ontdek ik de schoonheid van alles, de traagheid; nu *volstaat het (mij) om grendels en hekken te voelen/om het eeuwig gewicht van de wereld te kennen*[15], nu kan ik bang zijn want misschien is angst wel een soort liefde (met haar wijsvinger streelde Jeanine zijn lippen, hij beefde), en ik hou van je angsten, van al je angsten; er ontbreken dingen aan ons allebei, Jeanine, hoe zal ik het zeggen... originele onderdelen (ze glimlachten samen). Jou ontbreekt een lichaam dat van jou is, mij dat van mijn vader die misschien wel van me hield en me dat nooit heeft verteld. We zijn allebei hetzelfde. We zijn over de kop geslagen.

We hebben deuken opgelopen.

Jeanine Foucamprez verborg haar gezicht even in het kussen, ze wilde niet dat hij haar rode ogen zag. Denk jij dat we ooit gerepareerd worden? Geloof jij in God? In het noodlot? Denk je dat we kunnen vergeven? Ja, antwoordde Arthur, maar hij herstelde zich, nee, eigenlijk niet, dat geloof ik niet. Ik kan mijn vader niet vergeven. Niet zolang ik hem niet zie. Dan houd je die deuken altijd. En jij, heb jij je moeder vergeven? Jeanine Foucamprez glimlachte. Ja. Die nacht. Die nacht dat ik besloot om hierheen te komen heb ik haar vergeven. Toen ik ervoor koos om door te gaan. En de fotograaf? Hij is niet degene die mij beschadigd heeft. Hij heeft zijn vuile mannenwerk gedaan, meer niet, hij heeft me geen pijn gedaan. Het was haar stilzwijgen dat pijn deed. Het feit dat ze me niet meer aanraakte. Dat ik een hoop stront was in haar ogen, dat deed het meeste pijn. Indertijd wilde ik zo graag dat God bestond. Met zijn paradijs en zijn wattenwolkjes waarop je iedereen terugvindt van wie je houdt. Waar je helemaal geen pijn hebt. Denk jij dat mijn vader me herkend zou hebben? Dat weet ik niet, verzuchtte Arthur. Denk je dat hij me uitgedeukt zou hebben? Hij stak zijn hand uit, legde hem langzaam strelend op haar borsten. Hij was niet bang meer. Hij keek naar haar borsten, naar zijn hand, zijn vingers; hij woog de zoete zwaarte, streek langs de zijdezachte huid, dacht: dat zijn mijn vingers, dat is mijn wijsvinger, dat is mijn bloed, dat is mijn duim, ik streel de borsten van Scarlett Johansson, nou ja, die van Jeanine Foucamprez, dat is hetzelfde, het zijn dezelfde, bijna dezelfde, want deze hier heeft Josh Harnett niet aangeraakt, net zo min als Justin Timberlake, Jared Leto en Benicio Del Toro, *voor jou was er geen vooraleer*, en hoe langer hij streelde, hoe meer Jeanine Foucamprez haar rug kromde; haar mond werd langzaam droger, haar zuchten werden hees, haar huid wasemde minuscule druppeltjes water in onbekende geuren; af en toe leken haar ogen weg te rollen en zag Arthur Dreyfuss alleen nog wit, twee melkwitte ogen, wat hij een beetje eng vond, maar hij wist, sinds mevrouw Lelièvremont, dat het genot van een vrouw – de golf had ze gezegd, het is een golf, jongen, een klap met de vlakke hand – verbazende reacties kon losmaken, van allerliefst tot doodeng.

De borsten van Jeanine Foucamprez waren fantastisch erogeen. Vol trots besefte Arthur Dreyfuss dat de grote beving, de kleine dood, tot stand kwam dankzij zijn eigen vingers.

Toen het fabelachtige lichaam zich met een kreet ineens volledig spande en toen, met een lange zucht, volledig ontspande, bloosde Jeanine Foucamprez rood en haar voorhoofd was verhit; hij dacht aan een flauwte maar ze glimlachte als herboren, legde haar brandende hand op de wang van haar weldoener, hou me vast, alsjeblieft, en Arthur Dreyfuss, geroerd door die woorden, kon alleen maar knikken.

Toen de golf zich helemaal teruggetrokken had, opende 'de mooiste vrouw ter wereld' haar aardbeienmond, haar volle, glanzende lippen, en liet er de zin aan ontsnappen waar elke man op deze aarde van droomde, sierlijk en luchtig, betoverend: 'Je mag nu wel in me komen, als je wilt.'

Arthur Dreyfuss greep zijn kans niet meteen; al zou ejaculeren hem op dat moment bijzonder aangenaam zijn geweest, het waren woorden die nu uit zijn mooie mond kwamen, woorden die – zoals hij zich zou realiseren terwijl hij ze uitsprak – zijn eigen minnewoorden waren, eenvoudig, oprecht en definitief, van iemand die zich voor het eerst met lichaam en ziel overgeeft: ik moet je iets vertellen, Jeanine. Voordat jij kwam, had ik een droom. Een Audi-garage, een groot filiaal in Amiens of ergens anders – Long is te klein, hier zouden alleen de burgemeester en de notaris en misschien Tonnelier zich er één kunnen veroorloven – een mooie garage, een echte receptie, met leren stoelen en een Nespresso-machine, tijdschriften van diezelfde week en niet van die oude rommel zoals bij PP, met krullende bladzijden en vochtige hoeken van het speeksel, ingevulde kruiswoordpuzzels en uitgescheurde recepten; maar die droom, die heb jij verjaagd, Jeanine. Jeanine kwam half overeind. Arthur glimlachte geruststellend. Voor iets mooiers. Iets wat me nu geen angst meer aanjaagt. Ik wil graag terug naar school. Ik wil woorden leren gebruiken. De juiste woorden leren vinden, ze aaneenrijgen om de dingen te betoveren. Zoals muziek. Jeanine huiverde van emotie. Maar ik blijf bij PP werken, zodat we geld hebben om van te leven, maak je geen zorgen, ik laat je niet in de steek. Ik maak me geen zorgen, Arthur. Jeanine Foucamprez beefde; ze wist dat dit de mooiste liefdesverklaring was die een automonteur van net twintig jaar oud kon uitspreken; ze trok het laken over hun gloeiende lichamen omdat ze het ineens koud kreeg. Ze vlijde haar hoofd op de schouder van de verliefde automonteur en haar mond als een aardbei (uit de allermooiste tuin) prevelde *ja* in zijn oor, *ja* Arthur ik wil dat woorden jouw gereedschap worden, *ja*, ik wil dat je mijn borsten voor altijd streelt zoals je daarnet deed en *ja*, ik wil met je naar Cap Gris-Nez en mensen tegenhouden, mensen beletten om te vallen en gruwelijk hondenblikvoer te worden, *ja*, ik wil je moeder helpen, haar verzorgen, Elizabeth Taylor zijn als ze dat wil, *ja*, ik wil van Signaal-tandpasta gaan houden en van penne en van naturel toiletpapier, zonder parfum, en van alles waar je van houdt, alles waar jij van houdt, en *ja*, ik ga alle liedjes van Céline Dion vergeten en die van Edith Piaf leren, Arthur, en van Reggiani, en *ja, ja, ja*, ik wil dat je me nu neemt, dat je me neemt tot diep in mijn hart, alsjeblieft.

De avond viel. Buiten slokten de schaduwen de dingen op, de beesten en de mensen en alle zonden.

In de enige slaapkamer op de tweede verdieping van het huisje van Arthur Dreyfuss had de bleekheid van de opeengestapelde lichaam de elegante helderheid van een schilderij van Hammershøi (1864-1916, wiens binnenkamers een onwaarschijnlijke gratie vertonen, een magnetisch licht, en die zonder twijfel de mooiste definitie van het woord melancholie weergeven, want dat was het: *melancholie*).

Onverhoeds ontdekten Arthur Dreyfuss en Jeanine Foucamprez de liefde.

Hun liefdesspel had niets seksueels meer – het was eerder een Tsjaikovkiaans ballet waar zij van moest huilen, dromend van prins Siegfried, en Arthur Dreyfuss nam haar wel, zoals ze had gewild, maar hij was er ook in geslaagd om haar hart te raken.

Onbeholpen en gracieus genoten de twee minnaars van elke nieuwe seconde, gekweld en geboeid omdat het de laatste was; nu al.

Elke eerste keer is een overtreding.

Ze keken elkaar aan, in de schemering. Hun ogen straalden en spraken en zeiden dingen die geen woorden meer nodig hebben. Ze verwonderden zich over hun schoonheid. Ze werden bang van hun broosheid. Wat ze verloren, kon ze doden.

Was voortaan het geweld van alles. Het was dat alles en het was alleen maar dat.

Jeanine Foucamprez begon te hijgen, het hart van Arthur Dreyfuss sloeg op hol; tranen vermengden zich met zweet, de geuren van hun lichamen werden zoeter, bedwelmend, een bitter, vulgair, verrukkelijk vocht; zij kermde, hij schreeuwde; ze huilden; *de golf, het is een golf, m'n jongen,* had de vurige notarisvrouw gezongen; de golf sleepte alles mee, verscheurde alles, verpletterde alles: hun ingewanden, hun laatste terughoudendheid; daar trilden hun lichamen en vlogen op, ze stootten zich tegen de muren van de kamer; ze lachten, ontbloot, ontschorst, bloedrood, ze kenden geen angst meer, nu konden ze zich verliezen, het was gebeurd, sterven, en al het andere zou nog slechts herinnering zijn, die onwaarschijnlijke weg om hier te komen, die enige keer.

Melancholie.

Toen hun lichamen weer op het doorweekte bed vielen, toen de klamheid een huivering werd en de zoute kou hun vingers begon te verdoven, glimlachte Arthur Dreyfuss, een beetje dronken, verliefd, en die woorden die een leven veranderen, namen vlucht: 'Ik hou van je, Scarlett Johansson.'

En het hart van Jeanine stond stil.

Arthur Dreyfuss sliep, met een vredig gezicht, op de wonderbaarlijke boezem. Om zijn mooie mond tekende zich een kinderlijke glimlach af. Jeanine Foucamprez streelde zijn haar, zijn voorhoofd, zijn huid zo zacht; zij sliep niet.

Ze dacht dat ze nooit meer zou slapen. Ze huilde niet meer. Eerder die nacht hadden de tranen gevloeid in een onstuitbare stroom, kort nadat haar minnaar was ingeslapen, toen zijn hoofd zwaarder werd op haar borsten, en ze hadden al haar dromen meegesleurd.

Nu had ze er geen meer.

Ik hou van je, Scarlett.

De zon kwam op, daar in de verte, bij Condé-Folie, achter de plassen; weinig wolken, geen wind: het werd mooi weer, rustig weer, zoals op die schaarse ochtenden dat Dreyfuss Louis-Ferdinand met zijn zoon was gaan vissen in het vennetje van Croupes of in de Planques, in die zwijgende mannenmomenten. Jeanine Foucamprez glimlachte bedroefd. Ze was hem vergeten te vragen of hij van dieren hield, want ik, ik had graag op een dag een kleine Bretoense spaniël willen hebben. Die zijn lief, spaniëls. Intelligent, levendig, gehoorzaam. En ze houden van kinderen, want op een dag had ik graag kinderen willen hebben. En jij, jij ook Arthur? Ik had je graag met een dochtertje willen zien, een kleine Louise, Louise is een leuke voornaam. Mijn grootmoeder heette zo. Ik herinner me haar nog goed, ook al is ze gestorven toen ik zes was. Ze rook naar mottenballen, dat was grappig. Op een dag heb ik haar gevraagd naar de naam van haar parfum, ze zei dat het kastparfum was, snap je, *kastparfum*. Elke keer als ik bij haar kwam, haalde ze een van haar mooie jurken uit de kast, alleen voor mij, zodat ik haar mooi zou vinden, maar jij bent mooi, oma! En zij zei nee, nee, jij wordt het mooiste meisje van de wereld, en ik lachte, je zegt maar wat oma, en zij zei, met een grimas, haar mond vertrokken, lach niet Jeanine, het mooiste meisje van de wereld worden is het ergste wat je kan gebeuren.

Jeanine Foucamprez sloot plotseling haar ogen en prevelde, tegen zichzelf: dat weet ik, oma.

'Wij maken mensen ongelukkig.'

Ze deed haar ogen weer open. En ik heb je toch gezien, Arthur, met dat kleine meisje, en ik heb die blik gewild, die blik op mij, en die heb je me gegeven, elke minuut, elke seconde van de afgelopen zes dagen, en daar bedank ik je voor. Want voor het eerst van mijn leven heb ik me mezelf gevoeld. Ik voelde me gelukkig en levend en zo schoon in jouw ogen. Zo schoon. Alles was zo eenvoudig, eindelijk zo eenvoudig. Maar nu doet het zo'n pijn. Ik ben zo verdrietig.

Ik ben Jeanine, Arthur, niet Scarlett.

Heel behoedzaam tilde ze met haar ene hand het hoofd van haar geliefde op, schoof er met de andere een kussen onder; ze verliet het bed van de melancholie en liep de trap af naar de keuken, geluidloos sloeg ze de verraderlijke treden over, naar die keuken die op een dag geel zou zijn.

Ze raapte de sleutels van *het vervangend vervoer* van tafel en vertrok.

Buiten schrok ze van de kou.

Ze ging achter het stuur van de Honda Civic zitten, dacht even aan de rij-examinator die haar op een dag had laten weten dat haar plaats eerder ernaast was – op het moment zelf had ze de belediging niet begrepen; kalm startte ze de auto; bij de herinnering aan de hand van Arthur Dreyfuss op de hare toen ze de eerste versnelling inschakelde, huiverde ze even.

Er was nog geen verkeer op de smalle D32. Ze liet Ailly-le-Haut-Clocher achter zich liggen en reed naar Long, midden door het dorp, langs de garage van PP, de Camping du Grand Pré.

Ineens werd ze bevangen door die rust van groot verdriet.

Ze gaf gas, ze was nu niet bang meer. In zijn drie, in zijn vier. Met meer dan negentig kilometer per uur reed ze door de gehuchten À la Potence en Au Buquet. Ze lachte. Ze had het gevoel dat de auto vloog. Haar lichaam leek haar zo licht. Ze was er bijna blij om. De eerste huizen in de verte. Daarachter de vennen waar Arthur opgegroeid was, in de stiltes. Ze glimlachte, zag hem voor zich, zijn vishaakje voorzien van speciaal aas van tarwe om op karper te vissen, in de illegale nachten naast zijn zwijgende vader, die nachten waarin hij een man moest worden om op een dag bij haar te komen; al die nachten, nu verspild. Het stuur trilde in haar handen. De wijzer van de kilometerteller stond op honderdvijftien. Daar was het minuscule kapelletje van Notre-Dame-de-Lourdes; ze zou uitkomen op de plek waar de D32 en de steil aflopende Rue de la Cavée een Y-kruising vormden. Ze waren er op de derde avond van hun leven langsgekomen, zij had het koud gehad, hij had haar nog niet in zijn armen durven nemen om haar voor altijd te verwarmen; hij had zich nog niet gewaagd aan mannenwoorden, die verwarren, die nemen zonder te vragen, die in vervoering brengen.

Die avond zou ze ja hebben gezegd. Elke avond en elke dag zou ze ja hebben gezegd.

Ja, Arthur.

Ineens was daar het kapelletje. Ze gaf nog meer gas. De auto boorde zich met bijna honderdtwintig kilometer per uur in het kleine oratorium, alsof hij er naar binnen wilde. Ik zeg ja tegen je, Arthur, ja; de stenen muren weerstonden de schok, de auto stond in één klap stil en in de cabine werd het lichaam van Jeanine Foucamprez naar voren geworpen, de airbag ontvouwde zich niet, haar mooie gezicht sloeg tegen de voorruit die barstte en botste er dwars doorheen; scalpels van glas sneden de roze huid open, rukten een oog weg, een oor, doorsneden de aardbeilippen en ineens was alles purperrood en kleverig, een gruwelijk rood; de magnifieke boezem explodeerde tegen het stuur, haar ribben werden verpletterd, verkruimeld, en haar verstikte, beklemde hart bleef langzaam kloppen; de motor die door het dashboard naar binnen vloog verbrijzelde haar benen in een afgrijselijk en onhoorbaar botgekraak; een tafereel van Francis Bacon ineens, een amaranten brij; de pijn was zo onmenselijk dat Jeanine Foucamprez geen pijn had of geen woorden voor zoveel angst; ze braakte haar hart, ze braakte haar ziel uit.

Het kost haar lange minuten om te sterven en als ze in al die lelijkheid uiteindelijk stikt, huilt ze nog steeds.

Ik ben Jeanine, Arthur, niet Scarlett.

Arthur Dreyfuss werd gelukkig wakker. Zijn hand zocht het lichaam van Jeanine Foucamprez, haar warmte. Het laken was koud.

Geen geluid in huis. Nog geen geluid buiten.

Op dat uur was alleen de bakker van Ailly-le-Haut-Clocher open (op vierenhalve kilometer afstand via de D32) en op dagen met veel wind rook het helemaal tot hier aan toe naar croissants, melkbroodjes en andere brioches met bruine suiker; de geur drong onder de drempels van de huizen door en deed de bewoners glimlachen en kwijlen in hun slaap. Arthur Dreyfuss sprong overeind. *Jeanine*? Hij zag haar voor zich, twee verdiepingen lager, in de keuken die op een dag geel zou zijn. Hij glimlachte. Ze zet koffie. De Maragogype uit Chiapas. Hij wil naar haar toe, haar in zijn armen nemen, haar bedanken, haar zeggen: ik hou van je, Jeanine, weer met haar vrijen en samen met haar genieten van de koffie, fruitig, als een zoet parfum. Hij wil haar vragen of ze van dieren houdt, hij zou geen bezwaar hebben tegen een hondje, later, om mee te vissen, een soort spaniël; hij zal haar leren vissen met aasbolletjes, met vliegen, met dood aas; hij zal haar de hele erfenis van de stroper met het verloren lichaam schenken. Uiteindelijk kleedt hij zich aan. Hij gaat naar beneden. *Jeanine*? Hij vindt zichzelf de gelukkigste man ter wereld. Hij bedenkt dat ze naar zijn moeder zullen gaan in de kliniek, Elizabeth Taylor en hij. Dat hij deze keer de juiste woorden zal weten te vinden. Mama, zij is degene naar wie ik verlang; met Jeanine zal ik in leven kunnen blijven. De woorden ontdekken die me ontbreken. Hem niet meer vasthouden, papa laten wegvliegen. We zullen nooit meer over Scarlett praten. Hij stapt over de verraderlijke treden heen. Ze zullen ook naar de bibliothecaresse gaan. Ze zal hem zeggen dat 'de vriend' haar lief is. Vooral niet uitglijden, niet vallen, zich geen breuk vallen. Alleen maar naar haar toelopen in de keuken, haar tegen zich aanklemmen. Geen geluid, geen geur van koffie; alleen de stilte als hij op de overloop van de eerste verdieping aankomt. *Jeanine*? Hij loopt de trap af, vermijdt trede nummer acht die piept als een muis om haar niet wakker te maken als ze op de bank in slaap is gevallen. Maar ze is er niet. Ze is vast brood gaan halen, croissantjes. Hij glimlacht. Ze is zo mooi. Hij mist haar nu al. Hij huivert. Hij haalt de koffie tevoorschijn, de steelpan voor het water. Hij gaat haar de gedichten van Follain voorlezen. *Een rookpluim/ een opwaaiend blad/alleen de mens voelt het voorbijgaan van de tijd*[16]. Voortaan zal hij de woorden laten groeien in zichzelf, en zij zal ze weten te oogsten. Hij weet dat woorden halmen in een veld zijn, en dat de rangschikking die de wind eraan geeft de wereld kan veranderen.

De koffie is klaar.

In de keuken is de lucht een beetje zoet, vrouwelijk. Hij wou maar dat ze er nu was. Hij vindt de tijd lang duren zonder haar. Hij wil aan hun leven beginnen. Hij wil terugkeren naar het kapelletje van Notre-Dame-de-Lourdes. Deze keer zou hij wel durven; in liefhebbende grofheid. Daar is ze! Ze klopt op de deur. Hij springt overeind, doet open. Voor hem staat PP. Een onherkenbare PP, overstuur, met bloeddoorlopen, glimmende ogen; zijn zwarte handen trillen, tranen stromen ineens, alweer, lijkt het, onuitputtelijk; zijn droge lippen zijn opeengeplakt, vastgenaaid, houden de woorden gevangen die aan alles een einde maken, een einde aan de wereld maken. Arthur Dreyfuss begint te schreeuwen. PP verbrijzelt hem in zijn armen, smoort zijn pijn, neemt die in zich op.

ARTHUR

Het is mooi weer. De tuin is nog groen. Jeanine Foucamprez zit aan tafel, er staat een bord met fruit op en twee glazen wijn. Ze is heel blond. Ze draagt een donkerbruine bloes, van dik katoen met een hartvormig decolleté bij de aanzet van haar fabelachtige boezem. Naast haar biedt Javier Bardem, zijn kleren besmeurd met olieverfvlekken, haar koffie aan. Hij morst een beetje en verontschuldigt zich, zij glimlacht, dat geeft niets en nee, nee, geen suiker, dank je wel. Jeanine Foucamprez hoeft geen suiker in haar koffie. Ze zijn mooi, allebei. Van de andere kant van de tafel bekijkt Penelope Cruz hen met een zwarte blik, zwart haar, een zwarte ziel. Ze rookt. Haar linkerwijsvinger masseert haar linkerslaap; misschien rookt ze te veel. De spanning tussen de drie is voelbaar. Net als het verlangen, de fascinatie. Dan stelt Javier Bardem voor om een tochtje te maken naar het platteland en Penelope Cruz weigert met een striemend: 'Het gaat vast en zeker regenen.' Ze spreekt Spaans tegen Javier Bardem en dat verstaat Jeanine Foucamprez niet. Ze voelt zich een beetje vernederd, ze is gekwetst, dus eist Javier Bardem van Penelope Cruz dat ze Engels spreekt. Heb jij geen Spaans geleerd? vraagt ze aan Jeanine Foucamprez. Nee, Chinees, omdat ik het mooi vond om naar te luisteren. Zeg eens iets in het Chinees. *Hi ha ma.* (Dat is in elk geval wat Arthur Dreyfuss hoort; Chinees is moeilijk weer te geven.) En dat vind jij mooi? vraag Penelope Cruz wreed. Dan lijkt het wonderschone lichaam van Jeanine Foucamprez in elkaar te zakken; ze zou willen opgeven, willen vluchten, al ver weg willen zijn, ver van het drama, van de dreigende storm. Maar Penelope Cruz staat als eerste op, steekt een nieuwe sigaret op en Javier Bardem doet hetzelfde. Het zijn beiden schilders. Een fysieke, gewelddadige schilderkunst die een band vormt tussen hen, onverwoestbaar en onmogelijk, en Jeanine Foucamprez voelt, weet dat ze geen weerstand zal kunnen bieden aan de zwartheid van die twee, aan hun spoken, hun verlangen naar de doden, naar seks, naar boetedoening en verlies. Dan beginnen ze ruzie te maken: je hebt alles van mij gestolen, schreeuwt Penelope Cruz, ik heb niets van je gestolen, verdedigt Javier Bardem zich, je hebt me beïnvloed, misschien, en de toon stijgt; ze hadden elkaar wel kunnen vermoorden, een klap van een stoel tegen een klap van een scheermes; het is jaloezie, gilt de Spaanse, je hebt me met je blikken bedrogen met de vrouw van Agostino, en Javier Bardem brult, en verloren tussen hen in ziet Jeanine Foucamprez er ineens zo breekbaar uit, en in de ogen van Arthur Dreyfuss wellen tranen op, hij zou die tuin in willen rennen om hen te zeggen dat ze hun bek moeten houden - *¡callaos, callaos*! – Jeanine in zijn armen nemen en haar tegen zich aandrukken tot hun harten in hetzelfde ritme kloppen, zoals eerst; zoals vooraleer.

Maar *Vicky Cristina Barcelona* kun je niet in- of uitlopen, in tegenstelling tot *The Purple Rose of Cairo*, dus drukt hij op pauze.

En het zwart van de eenzaamheid slokt hem op.

Na de politie hadden ze PP gebeld vanwege de sticker met STATION PAYEN, VERVANGEND VERVOER op de achterruit van de verbrijzelde Honda en omdat de brandweer in de auto niets had kunnen vinden om de identiteit van de bestuurder vast te stellen.

Een van hen vond dat ze mooi haar had en had gehuild.

Daarop werd het verkeer omgelegd op de kleine departementale weg, tot aan de hoogvlakte van La Potence. Daarna kwamen de mensen, met zware tred, als voor een mis. Christiane Planchard was er geweest en het shampoomeisje en het verfmeisje, arm in arm en wit weggetrokken, burgemeester Népile, juffrouw Thiriard (toegetakeld met een rare felrode, bijna fluorescerende muts, een soort revolutionaire puntmuts, die haar verknipte pony maskeerde), mevrouw Rigodin, plaatselijk journaliste (onopgemaakt, angstaanjagend, vreemd genoeg menselijker), Eloïse van bij Dédé la Frite en de gedrongen vrachtwagenchauffeur die waarschijnlijk Philippe heette, gezien de nieuwe tatoeage op de pols van de serveerster; Valérie was er geweest, de voormalige aspirant-actrice (de plooien van haar kussensloop getekend op haar nog warme wangen) en Julie, grote vriendin van de douchekop met de vijf jetstralen en derde vrouw van PP; mevrouw Lelièvremont was gekomen, in haar vleeskleurige negligé waarvan de opening af en toe haar treurige boezem onthulde, haar pantoffelmuiltjes aan haar voeten, een sjaal om haar krulspelden geknoopt, ineens een bejaarde; het Belgische stel, op zijn zondags gekleed voor de foto die ze hoopten te maken met de Amerikaanse actrice, dat stel dat niemand zag en niemand hoorde en dat nergens iets van begreep nam foto's van de chaos, van het verdriet, van de tranen van anderen, dat vroeg of zij het echt was, de beroemde Scarlett Johansson, de Amerikaanse actrice, of het een filmopname betrof, een stuntopname, een ongeluk, trucages, het was wel ongelooflijk realistisch zeg, en waar was de camera en wie was dan die jonge acteur die zo huilde, die nu zo schreeuwde, en die ze tegenhielden en verhinderden om bij de verongelukte auto te komen, om zich in het bloed op de grond te werpen dat zich vermengde met de olie en een spiegel van licht en schaduw vormde, dat kind dat wilde sterven, sterven, gevangen in die reusachtige, smerige klauwen van de garagehouder die zo ontstellend op Gene Hackman leek; de pastoor kwam, en Tonnelier, de slager-traiteur die koffie had meegebracht en petits-fours: bitterballetjes met tonijn, emmentaler stokjes, bonenhapjes, stengels met olijven en peterseliepesto (heerlijkheden besteld voor een bruiloft op het kasteel, later die dag, maar dat gaf niks, had de culinaire kunstenaar met consumptie geroepen, dat maakt niet uit, ongeluk heeft hapjes nodig, ongeluk juist, geluk heeft nergens behoefte aan!) en aan het eind van de ochtend waren tante bibliothecaresse en oom postbode gekomen, hun ogen gebarsten, hun gezicht vertrokken van verdriet en waren er kreten te horen geweest, en tranen en verdriet, en immense angst.

La jeune 'star' conduisant seule
A capoté dans un tournant
Plein de ciel,
Près de son moteur râlant
Un crapaud meurt avec elle.

De jonge 'star' alleen aan het stuur
Slaat over de kop in een bocht
Vol hemel,
Naast de rochelende motor
Sterft tezelfdertijd een pad.[17]

Later, na *Vicky Cristina Barcelona*, zal hij haar films in de juiste volgorde bekijken. Hij zal haar zien opgroeien. Hij zal haar ouder zien worden. Haar films worden hun familiealbum.

Hij zal haar nooit meer verlaten.

De film over de New Yorkse klarinettiste zal hij laten volgen door *The Spirit* van Franck Miller (2008), waarin Jeanine Foucamprez de rol van Silken Floss speelt, een fatale vrouw, secretaresse en medeplichtige van Octopus. Later, als hij hem tien keer, honderd keer heeft gezien, als hij van haar verzadigd is, zal hij kijken naar *He's Just Not That Into You*, van Ken Kwapis (2009), waarin Jeanine Foucamprez de rol van Anna vertolkt, een mooi blondje (zoals gewoonlijk) dat flirt met Bradley Cooper.

Dan zal hij haar weer terugzien op de leeftijd waarop ze op een avond bij hem aanbelde toen hij gekleed was in onderhemd en smurfenboxer, als vurige roodharige in een nauwsluitende matzwarte *catsuit*, als het personage Natasha Romanoff, alias de Zwarte Weduwe in *Iron Man 2*, van Jon Faveau.

En in afwachting van *We Bought a Zoo* van Cameron Crowe, waar Jeanine Foucamprez naast Matt Damon speelt, of *De Wrekers* van Joss Sheldon, waarin ze opnieuw de rol van de Zwarte Weduwe vertolkt, of *Hitchcock* van Sacha Gervasi, waar Jeanine de rol van Janet Leigh op zich neemt. Arthur Dreyfuss draaide haar platen voortdurend, achter elkaar – *Anywhere I*

Lay my Head (naar de liedjes van Tom Waits) of *Break Up*, als duo opgenomen met Peter Yorn.

Intussen huilt hij nog steeds.

Hij heeft zijn huis te koop gezet, en ook al betoonde de jongen van het makelaarskantoor zich niet erg optimistisch, het is crisis weet u, het gaat allemaal knallen, de bubbel, de speculatie, mensen zijn geruïneerd, en uw huis is zo klein, ik zie er geen gezinnetje in wonen, of misschien een familie dwergen, ha, ha... o pardon, het spijt me, dat is niet grappig, nog veel minder een jong stel, met wat er gebeurd is, enfin, dat wou ik niet zeggen, maar, maar Arthur Dreyfuss is heel beslist: de verkoopprijs kan me niet schelen, ik moet hier weg, begrijpt u. Ik begrijp het, ik doe mijn best, meneer, maar het valt allemaal niet mee.

Enkele maanden later, als het huis eindelijk verkocht is (voor een derde van de prijs, maar dat doet er niet toe), gaat Arthur Dreyfuss voor het laatst naar de kliniek in Abbeville.

Lecardonnel Thérèse was korte tijd na hun laatste bezoek in coma geraakt, als gevolg van een gegeneraliseerde epilepsie, legde de arts uit. Ze is in coma carus, ze reageert niet meer op pijnlijke stimuli en haar EEG vertoont deltagolven, zonder reactiviteit bij enige externe stimulans. Ze is bijna in een coma stadium vier. Wat is dat, een coma stadium vier? vroeg Arthur Dreyfuss. Het einde, jongeman, het einde. Uw moeder is er nog wel maar ze is er niet meer.

Haar oogleden leken van stof. Haar afgekloven arm was uiteindelijk geamputeerd vanwege een nosocomiale infectie, en Arthur Dreyfuss zei bij zichzelf dat ze hem nu nooit meer in haar armen zou kunnen sluiten, net zo min als de kleine *Schoonheid van God*, wanneer die twee op een dag eindelijk weer samen zouden zijn.

De arts liep weg: als u iets nodig hebt kunt u hierop drukken, ik blijf in de buurt, en Arthur Dreyfuss haalde zijn schouders op, ja ik heb iets nodig, ik heb haar nodig, ik heb je nodig, mama, ik heb papa nodig, Noiya, Jeanine. Dat was Elizabeth Taylor, mama, je hield van haar omdat ze mooi was. Omdat ze je heel even de honden deed vergeten. Hij neemt haar enige overgebleven, ijzige hand in de zijne. De kou doet hem huiveren. Als zij er was, was je niet bang meer. Je glimlachte. Hij gaat zitten. Hij kijkt naar het lege lichaam dat hem gedragen heeft. Dat hem heeft voortgebracht. Hij kan zich niet voorstellen dat er een man uit zo'n tenger lichaampje kan komen. Uit zo'n schaduw. Want nu is zij een schaduw en hij een man. Dat weet hij. Er zijn gewelddadigheden en genadigheden die alle orde omverwerpen, die oud maken. Dat leven van zes dagen met Jeanine Foucamprez heeft hem evenzeer ontzet als een oorlog, een van die oorlogen die slecht aflopen, waardoor de overlevenden onherroepelijk veranderen. Waardoor ze in waanzin vervallen. Of in immense menslievendheid. Ze is weggegaan, mama. Heel ver weg. Ze is naar Amerika. Hij vertelt dat Jeanine ervan droomde om actrice te worden. Dat ze voor hem de beroemde scène uit een film met Brigitte Bardot had nagespeeld. Hij huilt niet meer, nu. Brigitte Bardot en Michel Piccoli. Hij verhaalt de ondeugende dialogen. Hij glimlacht. Maar de melancholie is nooit ver weg. Hij spreekt nieuwe woorden uit, nieuwe montages, die hij aan de voeten van zijn moeder legt; een mantel van woorden waarvan hij zich ontdoet. Ze wilden haar vlees nemen/Zij wilde haar hart geven. Ze groeien, de bloemen die Jeanine wilde plukken. Ik hield van haar waarheid/haar breekbare broosheid/ten diepste/van ons. De kleur van haar ziel. In mijn geheugen/is de leugen/van binnen/niet te beminnen. Ze wilde dat ik door haar heen keek, mama. Ze heeft me haar hart laten zien. Dat was magnifiek en verdrietig. Ik vind dat verdriet iets moois heeft. Het laat de woorden stromen, het is een kalme rivier die afwezigheid, droefenis en kindertijd met zich meevoert. Hij luistert naar ze; hij leert dat niemand ooit bemind wordt om zichzelf, maar om wat hij of zij vervult in de ander. Wij zijn wat anderen ontberen. Jeanine werd in de steek gelaten door haar moeder, na de foto's. Arthur werd in de steek gelaten door zijn vader, zonder reden, op een stropersochtend. Hij weet nu dat het dodelijk kan zijn om gestraft te worden zonder verklaring, ook als je zelf niets verkeerd hebt gedaan. We zijn verloren. Door voor de ondergang te kiezen had zijn moeder hen allemaal in de steek gelaten. Hij kijkt naar haar. Hij vindt haar verstarde glimlach onthutsend en lelijk. Hij herinnert zich haar kusjes, toen Noiya er nog was. Daarna niets meer. Die mond had nimmer meer gekust. Alleen nog gebeten. Zijn hand kan zijn moeders hand niet verwarmen. Misschien is ze al dood, ook al maakt het apparaat nog geluid. Machines weten niet alles. Soms liegen ze. Ik hield van haar schoonheid/zonder haar lichaam. Ik mis haar, mama. Ze was alles wat ik had, de enige die nog leefde. We waren elkaar aan het redden. Hij vertelt haar nog eens dat ze ver weg is. Dat ze nu in Amerika is. Omdat het hier lastig is, voor actrices. Zelfs als je heel gewoon bent. Zelfs als je subliem bent. Als je een lichaam voor een schilder hebt. Zoals die Botticelli die jij zo mooi vond, op die postzegel. Zelfs als je de diepste lust van mannen wekt, van alle mannen. En terwijl de kou zijn eigen hand verkilt, vertelt hij haar dat hij weggaat, dat hij zijn huis heeft verkocht. Dat hij vorige week zijn baan bij PP heeft opgezegd, omdat hij maandag vertrekt. Aanstaande maandag. Hij gaat een vliegtuig nemen, op Paris-Charles-de-Gaulle. Dat gaat wel lukken. Hij is er niet helemaal zeker van. Hij heeft gehoord dat er pillen bestaan tegen de angst om te vallen, tegen de angst om geen vleugels te hebben, tegen de angst voor het oneindige. Het is de eerste keer dat hij een vliegtuig neemt. Hij heeft een stoel bij een raampje besteld. Dan kan hij ze zien zitten in de zoete kersenboom. Noiya en zijn vader. We gaan naar elkaar zwaaien. Elkaar kusjes toewerpen. En dan zijn we weer een echt gezin. Hij vraagt zich af of de ziel van zijn moeder al in de boom zit. Hij denkt van wel. Hij denkt dat we altijd teruggaan naar waar we gezondigd hebben. Behoedzaam laat hij de ijzige hand los. Het is een eerste afscheid. Hij glimlacht. Ik weet dat Amerika heel groot is, reusachtig, veertien keer zo groot als Frankrijk, heb ik gelezen. Maar ik vind haar wel.

Hij veronderstelt dat ze in New York is, of in Los Angeles. Je maakt geen carrière door te gaan zitten afwachten in Catoosa, Oklahoma. Hij heeft het adres van haar agent op internet gevonden; hij heet Scott Lambert. Hij heeft zelfs zijn telefoonnummer: 310-859-4000. Ik zal haar vinden omdat ik van haar houd, mama. Met haar wil hij nu in leven blijven. Een dochtertje krijgen, en een soort spaniël, gaan vissen en dan teruggaan naar school of misschien samen een andere droom verwezenlijken. Met zijn drieën, met het dochtertje. Zonder haar voelt hij zich niet goed. Sinds ze in Amerika is, heeft hij weer pijn in zijn buik; je weet wel, zoals toen papa bij ons wegging, ik heb puistjes die ontstoken raken, ik voel me niet zo goed op het moment. Ik slaap ook niet zo goed. Hij denkt aan alle pijn die we veroorzaken zonder het te willen. Hij weet nu dat je kunt doden door te beminnen. Dat is angstaanjagend. Zijn eerste moordenaarswoorden. Een zin van Follain komt bij hem op. *Op verraderlijke momenten/verliezen dorpen, dalen, rivieren hun zin/De vogel, het blad beven om hun bestaan.*[18] Hij heeft allang begrepen dat die duidt op angst en verlies. Dat dat over hem ging, over zijn hele, wankele bestaan. Ik weet best dat zij Jeanine niet is, mama. Hij zal het haar uitleggen als hij haar eenmaal gevonden heeft. Hij zal haar alles vertellen, en zij zal het begrijpen, daar is hij van overtuigd. Hij heeft Engelse zinnetjes uit zijn hoofd geleerd. Ik ben automonteur, hebt u werk voor mij? *I'm a mechanician, do you have a job for me*? En deze: *You resemble someone I prodigiously, prodigiously loved.* U lijkt op iemand van wie ik ontzagwekkend veel gehouden heb.

Ontzagwekkend. Hij houdt van dat woord. Hij vindt dat het iets goddelijks heeft. Ik zou die liefde willen terugvinden. Hij zou het haar uitleggen. Hij zou haar alles vertellen. Hun kennismaking, hun geschiedenis, de boodschappen bij de Ecomarché, de koffie met het filter van toiletpapier. Ik zal haar vertellen over onze eerste slappe lach om een porno-dvd – de enige keer dat hij tegen haar had gelogen trouwens, door te doen alsof die niet van hem was. Ik zal haar vertellen over *De baron in de bomen*, over *Summer of 42*, hoe ik haar meenam naar de kapper om haar kwelgeesten te verjagen, hoe ze Elizabeth Taylor was voor jou en Cyrano de Bergerac voor mij, hoe ze me heeft geleerd om ik hou van jou te zeggen, ook al is dat moeilijk, ook al versmelten die woorden vaak in tranen, ook al lossen hele lettergrepen op; ik zal haar vertellen hoe gelukkig ze met mij was en hoe gelukkig ik met haar was. Hoe we van dezelfde dingen hielden, op hetzelfde moment, en hoe we vlogen toen we de liefde bedreven, we vlogen als vogels, mama, en ze zal het allemaal begrijpen. En jij, heb jij met papa ook gevlogen? Ja, ze zal het begrijpen. Hij vertelt het haar zelfs in het Engels: *She will understand.* En dan komt alles weer goed. Anders ga ik dood, mama, dan ga ik dood. Zo kan een mens niet leven. Zij heeft haar dochter verloren. Ze verliest haar zoon. Ik begrijp best dat ze misschien niet zal willen dat ik haar Jeanine noem, maar dat geeft niet. Ik zal haar Scarlett noemen, als ze dat liever heeft. Het is afgelopen. De machine maakt geen geluid meer. Ja. Ik zal haar Scarlett noemen, als ze dat liever heeft.

SCARLETT

Scarlett Johansson zat op de achterbank.

Ze was aan de telefoon met haar agent Scott Lambert in overleg over de mogelijkheid van de rol van Marilyn Monroe in de *biopic* die de Fransman Christophe Ruggia ging maken over Yves Montand.

De auto stond al een paar minuten stil bij de Crown Car Wash, op West Pico Boulevard (Hollywood).

De chauffeur was de tank aan het vullen.

Ineens werd haar aandacht getrokken door een meisje met een roomkleurige huid en goudblonde krullen, als springveren. Ze sprong vrolijk op en neer in de plassen. Ze schaterde het uit bij de aanblik van een doorweekte jonge knul, die tussen de textielrollen van de wasstraat uit kwam rijden op een kinderfietsje.

Een jongen met heel mooie ogen, die op Ryan Gosling leek. *Maar dan leuker.*

Ze stapte uit de auto, en de monteur zag haar staan. Hij keek een tijdlang naar haar, en glimlachte, heel lief. Toen wendde hij zijn blik af, wendde zich helemaal van haar af, liet het volmaakte lichaam daar staan en verwijderde zich, verdween in de wasstraat, alsof hij verzwolgen werd door een golf.

Dankwoord

Oneindig veel dank, aan Karina Hocine en Claire Silve. Jullie zijn mijn vleugels en mijn gunstige wind.

Aan Emmanuelle Allibert en Laurence Barrère, die een hart weten te raken om ogen te openen.

Aan Eva Bredin, die de prachtige gave bezit om woorden door de wereld te laten reizen.

Aan Olivia, Lydie en Véronique, mijn goede feeën.

Aan de journalisten en de boekhandels die *De lijst van al mijn wensen* tussen de sterren hebben gezet.

Aan Philippe Dorey en de geweldige ploeg op de Rue Jacob nummer 17, aan alle vertegenwoordigers.

Aan al mijn lezers en lezeressen die me al zo lang aanmoedigen en die zelf zulke formidabele brievenschrijvers zijn; zonnetjes op grijze dagen, reddingsboeien op dagen vol storm.

En tot slot aan Dana, de laatste die ik zal zien.

Noten

1: L'Atlas, *Territoires*, Jean Follain, Gallimard, 1953

2: Les Enfants, *Territoires*, Jean Follain, Gallimard, 1953

3: La Bête, *Exister*, Jean Follain, Gallimard, 1947

4: Aux choses lentes, *Exister*, Jean Follain, Gallimard 1947

5, tekst Valdo Cilli: Je mag niet spelen met de liefde/zelfs al is het maar een dag/de tranen die ik heb geplengd/staan gegrift in mijn geheugen/Wij begrijpen veel te laat, dat een woord, een enkele blik/alles in één keer verzengt

6: Op 18 februari 2010, zeven maanden voor deze kennismaking, gaf uitgeverij Gallimard *La Synthèse du camphre* uit, de eerste roman van een zekere Arthur Dreyfus (met één *s*)

7: L'Amitié, *Exister*, Jean Follain, Gallimard, 1947

8: Apparences, *Des heures,* Jean Follain, Gallimard, 1960

9: L'Amitié, *Exister*, Jean Follain, Gallimard, 1947

10, tekst Céline Dion: Vlieg maar, vlieg, mijn vogeltje/Mijn lief, mijn kleine zwaluw/Vlieg ver weg, en vlieg in vrede/Laat je door niets hier weerhouden/Vlieg naar de hemel en de ether/Laat ons maar achter, blijf hier niet/Verlaat die mantel van verdriet/Zoek een heel nieuw universum

11: *Suicide, mode d'emploi* (*Zelfmoord, een handleiding*), Guillon en le Bonniec, uitgeverij Alain Moreau, 1982

12: Larmes, *Exister*, Jean Follain, Gallimard, 1947

13: Les Journaliers, *Exister*, Jean Follain, Gallimard, 1947

14: *Chef-lieu*, Jean Follain, Gallimard, 1950

15: Quincailleries, *Usage du temps,* Jean Follain, Gallimard, 1943

16: Absence, *Territoires*, Jean Follain, Gallimard, 1953

17: Paysage de la jeune 'star' mourante, *Usage du temps*, Jean Follain, Gallimard, 1943

18: *Tout instant*, Jean Follain, Gallimard, 1957